Chère Lilian !
Ces trois mois à Paris
avec toi ont été merveilleux.
Je suis très heureuse de
connaître une femme
si ouverte, si intelligente,
si belle, si drôle...
Un jour, on se reverra-
j' en suis sure.

Je t'embrasse !
Brit

Paris, le 21.11.1994

Une Femme douce

En couverture : Dominique Sanda
dans le film de Robert Bresson, *Une Femme douce* (1969).
Collection Cinémathèque de Toulouse.

© 1947 Le Club Français du Livre pour la traduction.
© 1987, 1993 Éditions Ombres - 50, rue Gambetta - 31000 Toulouse
pour la présente édition
ISBN 2-905 964-73-4
(ISBN 1ère publication aux Éditions Ombres 2-905 964-09-X)

Fiodor Dostoïevski

Une Femme douce

Récit imaginaire
(Journal d'un écrivain, novembre 1876)

Traduit du russe
par Boris de Schloezer et Jacques Schiffrin

Éditions Ombres
Toulouse

Titre original : *Krotkaïa* (1876).
Cette traduction, parue pour la première fois en 1929 aux Éditions de la Pléiade, a été réeditée en 1987 par les Éditions Ombres.

Avant-propos

Je demande pardon à mes lecteurs de ne leur offrir, cette fois, qu'une nouvelle au lieu du *Journal* habituel. Mais cette nouvelle m'a effectivement occupé une bonne partie du mois. Je leur demande, en tout cas, de m'accorder leur indulgence.

Quelques mots maintenant du récit même. Je l'ai intitulé « imaginaire », tout en le considérant comme réel au plus haut point. Mais il comporte néanmoins un élément imaginaire, et cela dans sa forme même. C'est là-dessus que je crois nécessaire de m'expliquer au préalable.

Au fait, il ne s'agit ici ni d'un récit, ni de mémoires. Imaginez un mari dont la femme s'est tuée en se jetant quelques heures auparavant par la fenêtre, et qui est là, étendue sur la table. Il est bouleversé et n'a pu encore rassembler ses idées. Il erre à travers les chambres et s'efforce de découvrir un sens à ce qui vient de se passer, de « concentrer ses pensées sur un seul point ». De plus, c'est un hypocondre invétéré, un de ceux qui parlent tout seuls. Le voilà qui se parle à lui-même, se raconte l'affaire et tâche de la tirer au clair. En dépit de l'apparente logique de ses discours, il se contredit maintes fois, aussi bien dans les raisonnements que dans ses sentiments. Il se justifie, il l'accuse, elle, il se lance dans des explications à côté, faisant montre tantôt d'une certaine grossièreté de pensée et de cœur, tantôt de sentiments profonds. Peu à peu il parvient effectivement à voir plus clair et à « concentrer ses pensées sur un seul point » Les souvenirs qu'il évoque le conduisent irrésistiblement à la *vérité* : la vérité exalte son intelligence et son cœur. Vers la fin, le ton du récit se modifie comparativement au désordre du début. La vérité se révèle au malheureux avec une clarté et une netteté suffisantes, tout au moins pour lui.

Tel est le thème. Bien entendu, le récit, d'une forme chaotique, haché d'arrêts et d'interruptions, dure plusieurs heures : tantôt il se parle à lui-même, tantôt il paraît s'adresser à quelque auditeur invisible, à un juge. C'est ainsi d'ailleurs que les choses se passent toujours dans la réalité. Si un sténographe avait pu l'entendre et fixer ses paroles, celles-ci seraient apparues sous un aspect plus raboteux, plus fruste que je ne le présente ; mais, à ce qu'il me semble, l'ordre psychologique serait peut-être resté le même. Cette supposition relative au sténographe (dont j'aurais mis au net et arrangé les notes) est précisément ce que je qualifie d'imaginaire dans cette nouvelle. Mais des procédés analogues ont déjà été employés en art plus d'une fois : Victor Hugo, par exemple, dans son chef-d'œuvre *Le Dernier jour d'un condamné*, a usé d'un moyen presque identique ; et, bien qu'il n'eût pas recours à un sténographe, il admit une invraisemblance plus grande encore, en supposant la possibilité pour le condamné à mort (et le temps) de consigner dans son journal non seulement son dernier jour,

mais encore sa dernière heure, et littéralement sa dernière minute. Mais s'il n'avait pas admis cette « fan-
taisie », l'œuvre n'existerait pas, l'œuvre la plus réelle,
la plus véridique de toutes celles qu'il a écrites.

I

Qui j'étais et qui elle était

Tant qu'elle est ici, ça va encore. Je m'approche,
je la contemple à chaque instant ; mais demain on
l'emportera, et alors que deviendrai-je, seul ? Elle est
maintenant au salon, sur la table (on a réuni deux
tables à jeu) ; mais demain on apportera le cercueil ;
il sera blanc, du gros-de-Naples blanc. Du reste, il ne
s'agit pas de cela... Je vais et je viens, je veux tirer
la chose au clair. Voilà six heures déjà que je m'y
efforce, mais je n'arrive pas à concentrer mes idées
sur un seul point... Je ne fais qu'aller et venir, aller
et venir...

Voici comment cela s'est passé. Je raconterai tout
simplement les faits dans l'ordre (de l'ordre !). Messieurs, je suis loin d'être un littérateur, — vous le
voyez bien ; mais tant pis ! je vais vous raconter les
choses comme je les comprends moi-même. Et c'est
là précisément l'horreur ! c'est que je comprends tout.

Si vous tenez à le savoir, c'est-à-dire si l'on commence par le commencement, elle venait tout simplement chez moi pour mettre ses affaires en gage
afin de payer une annonce dans *La Voix*, disant que,

voilà, « une *telle*, gouvernante, accepterait de voyager, de donner des leçons à domicile », etc. C'était tout au début, et moi naturellement je ne la distinguais pas des autres : elle venait comme tout le monde, voilà tout. Mais, plus tard, je commençai à la remarquer. Elle était toute fluette, blondinette, d'une taille au-dessus de la moyenne, et avec moi toujours un peu gauche, comme si elle avait été intimidée (je pense qu'elle était ainsi avec tous les étrangers, et moi, évidemment, je n'étais pour elle pas plus qu'un autre (en tant qu'homme cela s'entend, non en tant que prêteur sur gages). Aussitôt qu'elle avait reçu l'argent, elle faisait demi-tour et partait. Et toujours en silence. Les autres discutent, demandent davantage, marchandent. Elle, non : ce qu'on lui donne, elle le prend...Il me semble que je m'embrouille tout le temps. Ah oui ! ce qui me frappa tout d'abord, ce furent les objets qu'elle m'apportait : des boucles d'oreille en argent, un pauvre petit médaillon, des objets de quatre sous. Elle savait elle-même qu'ils ne valaient pas davantage ; mais je voyais à son visage qu'ils représentaient pour elle un trésor. Et en effet, c'était tout ce qui lui restait de son papa et de sa maman ; je le sus depuis.

Une fois seulement, je me permis de sourire de ces gages. Je ne me le permets jamais, voyez-vous : je conserve toujours avec le public un ton de gentleman ; peu de mots, mais de la politesse, de la sévérité. « De la sévérité, encore de la sévérité et toujours de la sévérité. » Mais elle eut l'audace, un beau jour, de m'apporter les lambeaux (littéralement !) d'une vieille veste en peau de lapin ; je ne pus me contenir et lui lançai soudain un mot qui voulait être spirituel. Seigneur Dieu ! comme elle rougit ! Elle a de grands yeux bleus, pensifs, mais comme ils étincelèrent ! Elle ne prononça pas un mot cependant, rassembla ses « lambeaux » et sortit. C'est alors que je la remarquai pour la première fois d'une façon *particulière*, et que je pensai à elle de même, c'est-à-dire d'une certaine façon... particulière. Et je me souviens encore d'une impression ; c'était même, si vous voulez, l'impression essentielle, la synthèse de tout : c'est qu'elle était terriblement jeune, si jeune qu'elle ne paraissait guère avoir plus de quatorze ans. Pourtant elle en avait alors déjà seize moins trois mois. D'ailleurs, ce n'est pas cela que je voulais dire, et ce n'était nullement là, qu'était la synthèse. Le lendemain elle revint. J'appris plus tard qu'elle avait été chez Dobronravov et chez Moser avec sa pauvre veste ; mais eux n'acceptent que l'or et ne lui répondirent même pas. Or moi, j'avais accepté d'elle, une fois, un camée (un méchant petit camée) ; à la réflexion, je m'en étonnai : moi non plus je n'acceptais que de l'or et de l'argent, et néanmoins j'avais pris son camée. Ce fut la seconde pensée qui me vint à son propos. Cela, je me le rappelle.

Cette fois, c'est-à-dire après avoir été chez Moser, elle m'apporta un fume-cigarette en ambre, pas grand-chose, un objet bon pour un amateur, mais qui ne présente aucune valeur pour nous, puisque, encore une fois, seul l'or nous intéresse. Comme elle se présentait au lendemain de sa *révolte*, je l'accueillis sévèrement. La sévérité chez moi, c'est de la sécheresse. Cependant, tout en lui donnant deux roubles, je ne pus me retenir de lui dire avec une certaine irritation : « Je ne fais ça que *pour vous* ; Moser, lui, n'accepterait pas cet objet. » J'insistai sur les mots *pour vous*, et précisément en les soulignant dans un *certain sens*. J'étais de méchante humeur. Elle s'empourpra de nouveau, en entendant ce *pour vous*, mais se tut et ne repoussa pas l'argent ; elle l'accepta : ce que c'est que la misère ! Mais comme elle rougit ! Je compris que je l'avais blessée. Et quand elle fut sortie, je me demandai soudain : « Voyons, ce triomphe valait-il deux roubles ? hé, hé, hé, ! » Je me souviens que je me posai deux fois cette question : « Les valait-il ? les valait-il ? » Et, tout en riant, je la résolus à part moi dans le sens affirmatif. J'en étais tout égayé sur l'instant. Mais ce n'était pas un mauvais sentiment : j'avais mon idée, une intention précise ; je voulais l'éprouver, car il m'était venu soudain certaines idées à son sujet. C'était la troisième fois que je pensais à elle d'une façon *particulière*.

... Eh bien ! c'est à partir de ce moment que tout cela commença. Naturellement, je m'efforçai aussitôt de me renseigner par des voies détournées sur toutes les circonstances de sa vie, et j'attendis sa venue avec une impatience extrême. Car je pressentais qu'elle reviendrait bientôt. Quand elle revint, j'engageai avec elle une conversation aimable sur un ton extrêmement poli. Je suis assez bien élevé, d'ailleurs, et j'ai de bonnes manières. Hum !... C'est alors que je compris qu'elle était douce et bonne. Les doux et les bons ne résistent pas longtemps ; et même s'ils ne se livrent pas facilement, ils ne parviennent pas à esquiver la conversation : ils répondront brièvement, mais ils répondront tout de même, et d'autant plus qu'on les presse davantage : c'est à vous de ne pas lâcher prise, si vous y tenez. Naturellement, d'elle-même elle ne m'expliqua rien, cette fois-là. Ce fut plus tard seulement que j'appris tout au sujet de *La Voix* et du reste. Elle employait alors ses dernières ressources à publier des annonces, qui au début, bien

entendu, étaient d'un ton fort cavalier : « Une institutrice consentirait à aller en province ; faire offres
par lettre. » Ensuite : « Accepterait n'importe quoi :
institutrice, dame de compagnie, garde-malade, sait
coudre, peut tenir le ménage », etc. L'histoire est bien
connue. Il va sans dire qu'elle ajoutait tout cela peu
à peu. A la fin, acculée, elle annonçait : « Sans gages,
pour la nourriture. » Peine perdue ! Elle ne trouva
pas d'emploi. Je résolus alors de l'éprouver pour la
dernière fois : je prends le numéro du jour de *La Voix*
et je lui montre une annonce : « Jeune personne,
orpheline, cherche place institutrice auprès petits
enfants, de préférence chez veuf d'un certain âge ;
aiderait dans le ménage. »

— Vous voyez, celle-ci a fait paraître son annonce
ce matin, et le soir elle aura déjà sûrement trouvé une
place. Voilà comment il faut rédiger ses annonces !

Elle devint de nouveau toute rouge, ses yeux étincelèrent, elle me tourna le dos et partit immmédiate-
ment. Cela me plut beaucoup. D'ailleurs, j'étais complètement fixé et ne craignais plus rien : personne
n'accepterait de fume-cigarettes. Or elle n'en était déjà
même plus aux fume-cigarettes. Et, en effet, le surlendemain elle revint, si pâle, tout émue : je compris
qu'il avait dû se passer quelque chose chez elle, et je
ne me trompais pas. Je vais expliquer tout de suite
ce qui s'était passé ; mais d'abord je voudrais seulement me rappeler comment je réussis à lui jeter de
la poudre aux yeux et comment je grandis tout à coup
à ses yeux. J'en avais eu soudain l'idée... Il faut vous
dire qu'elle m'avait apporté cette icône (elle s'y était
décidée enfin)... Ecoutez ! écoutez !... C'est maintenant que ça commence vraiment ; jusqu'ici je n'ai fait
que m'embrouiller... C'est que je veux me rappeler

tout à présent, tout jusqu'au moindre détail, jusqu'au moindre petit trait. Je cherche tout le temps à concentrer mes pensées sur un seul point, et je n'y puis réussir... mais ces détails, ces petits traits...

L'icône de la Vierge. La Vierge et l'Enfant. Une icône de famille, ancienne, garnie d'argent doré ; elle valait... elle valait, mettons six roubles. Je vois qu'elle tient beaucoup à l'icône ; elle la met en gage telle qu'elle est, sans enlever son revêtement d'argent.

Je lui dis :

— Il vaudrait mieux enlever le métal et remporter l'icône ; tout de même, une icône, ça ne va pas...

— Est-ce que cela vous est interdit ?

— Ce n'est pas que cela nous soit interdit, mais vous-même, peut-être...

— Eh bien ! enlevez-la.

— Savez-vous quoi..., dis-je après avoir réfléchi, je ne l'enlèverai pas, mais je la mettrai là, avec les autres icônes, sous la veilleuse (j'ai toujours une veilleuse allumée devant les icônes depuis que j'ai ouvert ma caisse de prêts) ; et vous, prenez tout bonnement ces dix roubles.

— Je n'ai pas besoin de dix roubles, donnez-m'en cinq. Je rachèterai mon icône sans faute.

— Vous ne voulez pas prendre dix roubles ? L'icône les vaut, ajoutai-je, ayant saisi de nouveau son regard étincelant.

Elle garda le silence. Je lui tendis alors cinq roubles.

— Il ne faut mépriser personne. Moi aussi j'ai connu cette détresse, et pis encore. Et si vous me voyez maintenant faire pareil métier... c'est qu'après en avoir vu de toutes les couleurs...

— Vous vous vengez de la société, est-ce ça ? m'interrompit-elle avec un sourire assez sarcastique où il y avait d'ailleurs beaucoup de naïveté. (Je veux dire que sa réflexion avait une portée générale, car elle ne faisait alors absolument aucune différence entre moi et les autres, de sorte qu'il n'y avait là presque rien d'offensant personnellement pour moi.) « Oh ! oh ! me dis-je, voilà comme tu es ! Quel caractère ! Et des idées nouvelles ! »

— Voyez-vous, observai-je aussitôt d'un ton mi-plaisant, mi-énigmatique. Je suis une partie de cette partie du tout qui veut faire le mal, mais qui fait le bien.

Elle me jeta un regard rapide dans lequel il y avait une grande curiosité, d'ailleurs très enfantine.

— Attendez... Quelle est cette pensée ? D'où vient-elle ? Je l'ai entendue je ne sais où...

— Ne vous creusez pas la tête. C'est en ces termes que Méphistophélès se présente à Faust. Vous avez lu *Faust* ?

— Pas... pas très attentivement.

— C'est-à-dire que vous ne l'avez pas lu du tout. Il faut le lire. Du reste, je vois de nouveau sur vos lèvres un pli moqueur. Je vous en prie, ne croyez pas que j'aie le mauvais goût de vouloir me présenter à vous en qualité de Méphistophélès pour embellir mon rôle de prêteur sur gages. Le prêteur sur gages reste un prêteur sur gages. Nous le savons bien.

— Vous êtes étrange... je ne voulais rien vous dire de tel...

Elle voulait dire : « Je ne m'attendais pas à trouver en vous un homme instruit » ; mais elle ne le dit pas. En revanche, je savais qu'elle l'avait pensé. Je lui avais fait un immense plaisir.

— Voyez-vous, observai-je, on peut faire le bien quelque carrière que l'on choisisse. Je ne parle pas de moi, s'entend ; moi, je ne fais rien qui vaille, mais...

— Certainement on peut faire du bien quelque situation que l'on occupe, dit-elle, en m'adressant un regard rapide et pénétrant. Oui, dans toute situation, ajouta-t-elle soudain.

Oh ! je m'en souviens, je me souviens de chacun de ces instants. Et je veux encore ajouter à cela lorsque la jeunesse, cette charmante jeunesse s'apprête à dire quelque chose d'intelligent, de pénétrant, elle l'exprime aussitôt trop sincèrement, trop naïvement : « Oui, je vous dis maintenant des choses intelligentes, pénétrantes. » Et cela non point par vanité, comme nous autres ; mais l'on voit clairement qu'ils apprécient eux-mêmes au plus haut degré toutes ces choses, ils y croient, ils les respectent et sont persuadés que vous les respectez tout autant qu'eux. O sincérité ! c'est grâce à toi qu'on triomphe.

Et comme tout cela était charmant en elle !...

Je m'en souviens bien, je n'ai rien oublié. Quand elle sortit, ma décision fut prise sur l'heure. Le jour même, j'allai recueillir les derniers renseignements, et j'appris tous les dessous de sa vie actuelle. Quant à son histoire, j'en connaissais déjà les détails par Loukéria qui servait alors chez elle, et que j'avais soudoyée quelques jours auparavant. Ces dessous étaient si affreux, que je ne comprends pas comment on pouvait rire, comme elle l'avait fait tantôt, et s'intéresser aux paroles de Méphistophélès, étant soi-même dans une situation aussi navrante. Ce que c'est que la jeunesse ! Voilà précisément ce que je me disais en pensant à elle avec joie et orgueil, car il y avait là tout de même une certaine grandeur d'âme : même au bord de l'abîme, les paroles de Gœthe resplendissent ! La jeunesse est toujours généreuse, ne fût-ce qu'un brin, ne fût-ce qu'au rebours du bon sens. Je parle d'elle, cela s'entend, d'elle seule. Mais le principal est que je la considérais déjà alors comme *mienne* et ne doutais nullement de mon pouvoir. Vous savez quelle volupté il y a dans cette pensée : quand on ne doute plus, je veux dire.

Mais que fais-je ? Si je continue ainsi, quand pourrai-je donc concentrer toutes mes pensées sur un seul point ? Vite, vite. Ce n'est pas de cela du tout qu'il s'agit, Seigneur !

II

La demande en mariage

Les « dessous » que j'appris sur son compte, je les résumerai en quelques mots : son père et sa mère étaient morts il y a longtemps, trois ans auparavant, et elle était restée seule chez des tantes très désordonnées. Désordonnées, c'est peu dire. L'une était veuve avec une nombreuse famille : six enfants en bas âge, la seconde, restée fille, était vieille et mauvaise. Mauvaises, d'ailleurs, elles l'étaient toutes les deux. Son père avait été fonctionnaire, simple scribe, du reste. Bref, tout cela m'arrangeait parfaitement. J'appartenais, à leurs yeux, à un monde supérieur : quoi qu'il en soit, ex-capitaine en second d'un brillant régiment, noblesse héréditaire, situation indépendante, etc. Et quant à la caisse de prêts sur gages, les tantes ne pouvaient la considérer qu'avec respect.

Elle avait vécu trois ans en esclavage chez ses tantes, mais elle réussit cependant à passer je ne sais quels examens ; elle trouva le temps nécessaire, parvenant à arracher quelques instants à l'impitoyable besogne quotidienne. C'était tout de même un bel effort de sa part vers une vie supérieure, plus noble ! Or dans

quel but voulais-je, moi, me marier ?... Mais, au diable ! il ne s'agit pas de moi... Ce sera pour plus tard...
La question n'est pas là... Elle enseignait les enfants
de sa tante, elle cousait le linge et, pour finir, faible
de la poitrine comme elle l'était, elle lavait non seulement le linge, mais encore les planchers. Pour tout
dire, les tantes allaient jusqu'à la battre, lui reprochant
chaque bouchée de pain ; finalement elles s'apprêtè-
rent à la vendre. Pouah ! je passe les détails ignobles...
Par la suite, elle m'a tout raconté.

Un gros boutiquier du voisinage observait toutes
ces choses depuis un an. Ce n'était pas un boutiquier
ordinaire : il avait deux épiceries. Ayant déjà mis au
tombeau ses deux premières femmes, il en cherchait
une troisième, et c'est sur elle qu'il avait jeté son
dévolu : « Elle est douce, élevée dans la pauvreté ; je
la prendrai pour les enfants. » Il avait, en effet des
enfants. Il entra en pourparlers avec les tantes, se fit
agréer. Pour comble, il avait cinquante ans. Elle, elle
était au désespoir. C'est alors qu'elle se mit à me faire
de fréquentes visites pour payer les annonces dans *La
Voix*. Finalement elle supplia ses tantes de lui accorder ne fût-ce qu'une toute petite minute pour réflé-
chir. On la lui donna, mais une seule... Et elles ne
cessaient de la harceler : « Nous crevons nous-mêmes
de faim, nous n'avons pas besoin d'une bouche
inutile. »

Je savais déjà tout cela, et ce jour-là, après la scène
du matin, ma décision fut prise.

Au soir, le boutiquier vint chez les tantes ; il
apporta de son magasin une livre de bonbons à cinquante kopecks. La voilà donc avec lui. J'appelai alors
Loukéria et lui dis d'aller auprès d'elle et de lui glisser à l'oreille que j'étais à la porte et avais à lui com-

21

muniquer quelque chose de la dernière urgence. J'étais satisfait de moi. Du reste, ce jour-là, j'étais d'une façon générale de fort bonne humeur.

Or, dans la rue même, devant la porte, alors qu'elle était encore tout étonnée que je l'eusse fait appeler, je lui déclarai en présence de Loukéria que je considérerais comme un bonheur et un honneur pour moi... En second lieu, qu'elle ne devait pas s'étonner de ma façon d'agir, et de cet entretien devant la porte : « Je suis, dis-je, un homme franc, et je connais les détails de la situation. » Et je ne mentais pas en disant que j'étais franc. Mais, au diable ! Et je m'exprimais non seulement de façon très correcte, c'est-à-dire en faisant montre de bonne éducation, mais aussi d'une façon originale ; et c'est là l'essentiel.

Eh bien quoi ? est-ce un crime de l'avouer ? Je veux me juger, et je me juge. Je dois dire le pour et le contre, et je le dis. Et même, plus tard, je me le rappelai encore avec délices, bien que ce fût stupide : je lui déclarai franchement, sans la moindre gêne, que d'abord je n'avais aucun talent particulier, que je n'étais pas particulièrement intelligent ni peut-être même particulièrement bon ; que j'étais plutôt un égoïste sans envergure (je me souviens de cette expression ; je l'avais fabriquée en route, et j'en étais fort satisfait), et qu'il était très, très probable qu'il y avait encore en moi maints mauvais côtés. Tout cela fut énoncé avec une certaine fierté : on sait bien comment se disent ces choses-là. Bien entendu, après avoir noblement exposé mes défauts, j'eus le bon goût de ne pas me lancer dans l'énumération de mes qualités : « en revanche, j'ai ceci et cela... ». Je voyais qu'elle avait encore terriblement peur, mais je n'atténuai rien ; au contraire, devinant son effroi, je forçai encore la note : je lui dis carrément qu'elle n'aurait pas faim, mais que pour ce qui était des toilettes, des théâtres, des bals, il faudrait s'en passer, tout au moins jusqu'à ce que j'eusse atteint mon but. Ce ton sévère m'enchantait décidément. J'ajoutai, tout à fait en passant, que si j'avais choisi ce genre d'occupation, c'est-à-dire les prêts sur gages, c'était que j'avais un seul but : il existait, dis-je, certaines circonstances qui... Mais j'avais le droit de parler ainsi : il existait effectivement, ce but, et ces circonstances existaient aussi réellement. — Une minute, Messieurs : j'ai toute ma vie, moi tout le premier, abhorré cette caisse de prêts sur gages ; mais, en somme, si ridicule qu'il soit de se parler à soi-même en employant des phrases énigmatiques, je me suis effectivement vengé de la société, c'est vrai, c'est vrai. De sorte que son ironie, ce matin-là, était injuste lorsqu'elle me dit que « je me vengeais de la société ». Certes, si je lui avais déclaré tout de go : « Oui, je me venge de la société », elle aurait éclaté de rire comme l'autre jour, et c'eût été en effet ridicule. Mais par un sous-entendu, en lançant une phrase énigmatique, il se trouvait qu'on pouvait gagner son imagination. D'ailleurs, je ne craignais plus rien alors : je savais en effet que le gros boutiquier lui répugnait plus que moi en tout cas, et que là, sur le pas de la porte, je lui apparaissais comme un libérateur. Cela, je le comprenais parfaitement. Oh ! pour ce qui est des bassesses, l'homme les saisit admirablement. Mais était-ce une bassesse ? Comment juger un homme en pareil cas ? Est-ce que je ne l'aimais pas déjà, dès ce moment-là ?

Attendez ! Bien entendu, je ne lui fis pas la moindre allusion à un bienfait : au contraire, oh ! au contraire : « C'est *moi* qui serais votre obligé, et non pas *vous.* » Je le lui dis même mot pour mot, je ne pus me retenir. Et ce fut peut-être une sottise, car une légère contraction passa sur son visage. Mais, somme toute, je remportai un succès décisif. Attendez ! Puisque j'ai commencé à évoquer toute cette fange, il faut bien aussi que je rappelle ma dernière vilenie : tandis que j'étais là, debout, je songeais en moi-même : « Tu es grand, bien fait, tu as une bonne éducation, et enfin, sans te vanter, tu n'es pas mal de ta personne. » Voilà ce qui passait dans ma tête. Naturellement, sur l'heure devant la porte, elle me dit *oui...* Mais... mais je dois ajouter qu'elle réfléchit longuement sur le pas de cette porte avant de dire *oui.* Elle demeura même absorbée si longtemps, si longtemps que je lui demandai : « Eh bien alors ? » Et ne pouvant davantage me contenir je répétai avec un certain chic, sur un petit ton dégagé : « Et alors, Mademoiselle ? »

— Attendez, je réfléchis.

Et son mince visage était si sérieux, si grave, que déjà alors j'aurais pu y lire... Et moi qui me sentais froissé : « Est-il possible, me disais-je, qu'elle hésite entre moi et l'épicier ! » Oh ! à ce moment je ne comprenais pas encore. Je ne comprenais encore rien, rien. Jusqu'à aujourd'hui même, je n'ai rien compris. Loukéria, je m'en souviens, courut après moi lorsque je m'en allai, elle m'arrêta et me dit, tout essouflée : « Dieu vous récompensera, Monsieur, de prendre notre gentille demoiselle ; seulement ne le lui dites pas, elle est fière. »

Fière, eh bien ! quoi ? Moi-même, à vrai dire, je les aime bien ces petites fières. Elles sont tout particulièrement belles, les fières, quand... quand on ne doute plus du pouvoir que l'on exerce sur elles, hein ?... O homme maladroit, homme bas !

Ah ! comme j'étais content ! Savez-vous, que tandis qu'elle se tenait toute songeuse debout près de la porte pour me dire oui, et que moi j'attendais, étonné, savez-vous qu'il lui vint peut-être cette idée : « Malheur pour malheur, ici ou là, ne vaut-il pas mieux choisir le pire, c'est-à-dire le gros boutiquier qui me tuera plus vite sous ses coups, étant ivre ? » — Hein ? qu'en pensez-vous ? Cette idée ne put-elle lui venir à l'esprit ?

Du reste, encore maintenant je ne comprends pas, même aujourd'hui je n'y comprends rien. Je viens de dire qu'elle avait pu avoir cette pensée : des deux malheurs choisir le pire, le boutiquier. Mais qui donc alors était le pire à ses yeux : moi ou le boutiquier ? Le boutiquier ou le prêteur sur gages qui cite Gœthe ? C'est encore une question. Une question ? Cela non plus, tu ne le comprends pas : la réponse est là devant toi, sur la table, et toi, tu dis : « une question ! » Et puis, que le diable m'emporte ! il s'agit bien de moi... Mais, à propos : qu'il s'agisse de moi ou de quelqu'un d'autre, quelle importance cela a-t-il pour moi maintenant ? Voilà ce qu'il m'est absolument impossible de décider. Mieux vaudrait aller me coucher. J'ai mal à la tête...

III

Le plus noble des hommes,
mais je n'en crois rien moi-même

Je n'ai pu dormir. Et comment dormir avec ce marteau qui frappe dans ma tête ! Je voudrais tant voir clair dans tout cela, dans toute cette abjection. Oh ! quelle fange ! De quelle fange je l'ai tirée alors ! Elle aurait dû cependant le comprendre et apprécier mon geste ! Je me complaisais aussi à certaines pensées : que j'avais quarante et un ans, par exemple, et qu'elle n'en avait que seize. Cela me ravissait, cette sensation d'inégalité ; c'est très voluptueux ça, très volupteux !

Je voulais, par exemple, célébrer notre mariage *à l'anglaise* : rien que nous deux, avec au plus deux témoins, dont Loukéria ; et aussitôt après, prendre le train pour Moscou par exemple (où j'avais, du reste, à faire), et rester à l'hôtel une quinzaine de jours. Mais elle résista, s'y opposa, et je fus obligé d'aller présenter mes hommages à ses tantes, comme à des parentes des mains de qui je la recevais. Je cédai, et les tantes obtinrent leur dû. Je fis même cadeau de cent roubles à chacune de ces créatures, et leur en promis encore. Bien entendu, je ne lui en dis rien, afin de

ne pas la peiner en lui faisant sentir toute la bassesse
de son entourage. Du coup les tantes devinrent tout
miel. Il y eut aussi des discussions au sujet du trousseau ; elle n'avait rien, littéralement rien ; et d'ailleurs,
elle ne voulait rien. Toutefois, je réussis à lui démon-
trer qu'elle ne pouvait se passer de certaines choses,
et c'est moi qui achetai le trousseau ; car qui donc
le lui aurait donné ? Mais il s'agit bien de moi ! Cependant, je parvins déjà alors à lui faire connaître certaines de mes idées, afin qu'elle sût au moins à quoi s'en
tenir. Il se peut même que je m'y sois pris avec trop
de hâte.

Le principal est que, dès le début, et bien qu'elle
s'en défendît, elle eut pour moi un véritable élan
d'amour ; lorsque j'arrivais le soir, elle m'accueillait
avec ravissement, me racontait en son gazouillis (en
ce délicieux gazouillis de l'innocence) toute son
enfance, ses années dans la maison paternelle, des
détails sur son père, sur sa mère. Mais, du premier
coup, je versai de l'eau froide sur cet enivrement...
C'était en cela précisément que consistait mon idée.
Aux transports de joie je répondis par le silence, un
silence bienveillant, s'entend... Néanmoins elle devina
rapidement qu'il y avait une différence entre nous
et que j'étais une énigme. Or, c'était là-dessus que je
tablais surtout. Car ce fut peut-être justement pour
lui poser une énigme que je commis toutes ces sottises.

Avant tout, de la sévérité, et c'est ainsi, sous le signe
de la sévérité, que je l'introduisis dans ma maison.
Bref, dès ce moment, et bien que je fusse très satisfait, je créai tout un système. Oh ! sans nul effort,
du reste ; il se créa de lui-même. D'ailleurs, il eût été
impossible d'agir autrement, je devais créer ce système
pour une raison péremptoire. Pourquoi est-ce que je

me calomnie alors ? Le système était juste. Attendez un peu, si l'on fait tant que de juger un homme, que ce soit au moins en connaissance de cause... Ecoutez.

Je ne sais par où commencer, car tout cela est bien difficile. Quand on entreprend de se disculper, ce n'est pas toujours commode... Voyez-vous, la jeunesse méprise, par exemple, l'argent ; et aussitôt j'appuyai sur l'argent, j'insistai sur l'argent. Et j'insistai tant et si bien, qu'elle devint de plus en plus silencieuse. Elle ouvrait de grands yeux, écoutait, regardait et se taisait. Voyez-vous, la jeunese est généreuse, je veux dire : la bonne jeunesse est généreuse et impulsive, mais peu tolérante ; au moindre faux pas, elle vous méprise. Or moi, je cherchais une plus grande largeur de vues, je voulais lui greffer cette largeur de vues à même le cœur, pour que son cœur vît les choses autrement, n'est-il pas vrai ? Je prends un exemple banal : comment aurais-je pu expliquer à une telle nature ma caisse de prêts sur gages ? Naturellement, je n'abordai pas la chose directement, car autrement j'aurais eu l'air de demander pardon pour ladite caisse ; mais j'eus recours à la fierté, pour ainsi dire ; je parlais en quelque sorte en silence. Or, je suis passé maître en l'art de parler en silence ; toute ma vie durant, j'ai parlé en silence et j'ai vécu en moi-même silencieusement de véritables tragédies. Oh ! moi aussi, je fus malheureux ! Je fus rejeté par tout le monde, rejeté et oublié, et personne, personne ne le sait. Et voilà que cette fillette de seize ans prête l'oreille aux ragots de quelques canailles et s'imagine qu'elle sait tout. Le plus secret cependant demeure enfoui dans le cœur de cet homme !... Je gardais le silence, et surtout, surtout avec elle, et cela jusqu'à hier. Et pourquoi est-ce que je me taisais ? Par fierté.

Je voulais qu'elle apprît tout d'elle-même, sans moi, mais non point d'après les racontars de misérables ; je voulais qu'elle *devinât elle-même* la vérité sur mon compte et me comprît. En l'accueillant dans ma maison, je voulais d'elle un respect total. Je voulais qu'elle se tînt devant moi en prière au nom de mes souffrances ; et je valais bien ça ! Oh ! j'ai toujours été fier, j'ai toujours voulu tout ou rien. C'est précisément parce que je suis un homme qui ne se contente pas de la moitié du bonheur, mais qui veut tout, que je fus alors obligé d'agir ainsi : « Comprends toi-même et apprécie. » Car vous devez admettre que si je m'étais mis moi-même à lui expliquer et à lui souffler tout, à biaiser et à quémander son estime, c'eût été comme si je lui demandais l'aumône... D'ailleurs... d'ailleurs, pourquoi est-ce que je parle de ça !

C'est stupide, stupide, et stupide ! Je lui expliquai alors carrément, impitoyablement (et j'y insiste : impitoyablement), en quelques mots, que la générosité de la jeunesse est chose charmante, mais ne vaut pas deux sous. Pourquoi ? parce qu'elle l'obtient à bon compte, sans avoir l'expérience de la vie, et qu'il s'agit plutôt « des premières impressions de l'être », pour ainsi dire. Mais attendez un peu qu'on vous voie à l'œuvre, jeunes gens ! La générosité à bon compte est toujours chose facile, et faire même le sacrifice de sa vie, cela aussi ne coûte guère, ce n'est là que bouillonnement du sang, trop-plein de force, soif ardente de beauté ! Mais qu'il s'agisse d'un acte d'héroïsme que nul ne remarquera, sans éclat, face à la calomnie, où il y ait de grands sacrifices et pas une miette de gloire, où vous risquez, homme glorieux, de faire devant tous figure de vile canaille tandis que vous êtes l'être le plus honnête de la terre, — essayez donc un peu d'accomplir un tel exploit. Eh bien ! vous reculerez. Et moi, toute ma vie, je n'ai fait autre chose que de porter cette croix !

Au début, elle discutait, et comment ! et puis elle devint silencieuse, elle se tut complètement même, se contentant, à mes paroles, d'ouvrir des yeux immenses, grands comme ça, et si attentifs... Et... et puis je saisis soudain un sourire, défiant, silencieux, mauvais. C'est avec ce sourire-là que je l'introduisis dans ma maison. Il est vrai, du reste, qu'elle ne pouvait plus aller ailleurs...

IV

Des plans, toujours des plans

Qui de nous deux commença alors ?

Personne. Cela commença de soi-même, dès les premiers pas. J'ai dit que je l'introduisis dans ma maison sous le signe de la sévérité ; cependant, dès le premier pas j'adoucis ce régime. Alors qu'elle n'était encore que fiancée, je lui avais dit qu'elle aurait à recevoir les objets apportés en gage et à les payer, et elle n'avait rien objecté à cela (remarquez-le bien !). Bien plus : elle se mit même à la besogne avec zèle.

Naturellement, l'appartement, le mobilier, tout cela n'avait subi aucun changement. L'appartement est composé d'une grande salle où se trouve la caisse derrière une cloison, et d'une seconde pièce, assez vaste aussi, à la fois chambre et salle commune. Mon mobilier est pauvre ; même les tantes avaient mieux. Les icônes et la veilleuse sont dans la grande salle où se trouve la caisse ; chez moi, dans ma chambre, il y a mon armoire avec quelques livres et un coffre ; j'en gardais les clefs sur moi. Et puis aussi le lit, des tables, des chaises. Dès nos fiançailles, je la prévins, que pour notre entretien, c'est-à-dire pour notre nourriture, à elle et à Loukéria (je l'avais prise à notre service), je donnerais un rouble par jour, pas davantage. « Il me faut trente mille roubles dans trois ans. Or, on ne les gagnerait pas en s'y prenant autrement. » Elle ne protesta pas, mais je donnai généreusement trente kopecks de plus. Il en fut de même pour le théâtre. Je dis à ma fiancée qu'il n'y aurait pas de théâtre, et cependant je décidai ensuite qu'on irait au spectacle une fois par mois, et à des places convenables — aux fauteuils d'orchestre. Nous y allions ensemble ; nous y fûmes trois fois ; nous vîmes la *Course au bonheur* et la *Périchole*, je crois (au diable ! au diable !...). Nous y allions et en revenions en silence. Pourquoi, dès le début avons-nous adopté le silence ? Il n'y avait pourtant pas de disputes au début ; mais, toujours ce silence... Je me souviens qu'elle avait constamment une certaine façon de me regarder en dessous ; lorsque je m'en aperçus, je renforçai encore le silence. C'est moi, il est vrai, et non pas elle, qui insistais sur ce silence. Elle eut deux ou trois fois des élans vers moi, elle se jeta à mon cou. Mais comme ces élans étaient maladifs, hystériques, tandis qu'il me fallait un bonheur solide et du respect, j'accueillis ses transports avec froideur. Et j'avais raison, car chaque fois, le lendemain, il y avait dispute.

A vrai dire, il n'y eut pas à proprement parler de disputes, mais on se taisait et elle avait une attitude de plus en plus insolente. « Révolte et indépendance », voilà ce que cela signifiait ; mais elle ne savait pas s'y prendre. Oui, ce visage si doux prenait de plus en plus un air de défi. Le croirez-vous, je lui devenais répugnant ; oh ! je l'ai bien observé ! Et que ses élans la mettaient hors d'elle, cela ne fait aucun doute. Comment, par exemple, se permettait-elle de faire la dégoû-

tée devant notre pauvreté, elle qui sortait d'une telle
misère, elle qui lavait les planchers ! Or, voyez-vous,
il ne s'agissait pas de pauvreté, à proprement parler,
mais d'économie ; et là où il le fallait, c'était même
le luxe : pour ce qui était du linge, par exemple, de
la propreté. Je m'imaginais toujours que la propreté
du mari séduit la femme. Du reste, elle en voulait non
à notre pauvreté, mais à mon étroitesse dans l'économie : « Il a un but, il fait montre de fermeté. » Elle
renonça d'elle-même au théâtre, comme ça subitement. Et le pli moqueur se marquait chaque jour
davantage... Moi, de mon côté, moi je redouble de
silence, je redouble de silence...

Je n'avais pas à me justifier, n'est-ce pas ? L'essentiel était ma caisse de prêts. Permettez : je savais
qu'une femme, et surtout de seize ans, ne pouvait pas
ne pas se soumettre entièrement à son mari. Les femmes n'ont point de personnalité : c'est un axiome,
et encore maintenant, oui, même maintenant, c'est
pour moi un axiome. Qu'importe qu'elle soit là, étendue dans la salle ! La vérité est la vérité, et Stuart Mill
lui-même n'y pourrait rien. Or, la femme qui aime
— la femme qui aime — déifiera les vices de l'être
aimé, et même ses crimes. Lui-même ne pourra trouver à ses crimes les raisons qu'elle réussira à inven-
ter ! C'est généreux, mais enfin ça manque de personnalité. L'absence de personnalité, voilà uniquement
ment ce qui perd la femme ! Et qu'importe, je le
répète, ce que vous me désignez là, sur la table ! Est-
ce une preuve de personnalité, ce qui gît sur la table ?
Oh !... oh !...

Ecoutez. J'étais alors certain de son amour. Ne se
jetait-elle pas à mon cou, même alors encore ? C'est
donc qu'elle m'aimait ou plutôt voulait m'aimer. Oui,

c'est précisément cela : elle voulait m'aimer, elle cherchait à aimer. Et le principal, c'est qu'en somme il ne pouvait être question de crime qu'elle dût chercher à justifier. Vous dites : « prêteur sur gages », et tout le monde le répète. Et alors ? Si le plus généreux des hommes est devenu prêteur sur gages, c'est donc qu'il a des raisons pour cela. Voyez-vous Messieurs, il y a des idées... je veux dire que certaines idées, lorsqu'on les exprime, lorsqu'on les met en paroles, deviennent terriblement stupides. On en a honte soi-même. Et pourquoi ? Pour rien. Parce que nous sommes tous des rien du tout et ne supportons pas la vérité, ou alors je ne sais plus trop pourquoi. Je viens de dire : « le plus généreux des hommes ». C'est ridicule, et cependant c'était bien ça. Car c'est la vérité, la vérité vraie ! Oui, *j'avais le droit* de vouloir assurer mon existence et d'ouvrir le bureau de prêts : « Vous m'avez rejeté, vous, les hommes, c'est-à-dire que vous m'avez chassé avec un silence méprisant. A mes élans passionnés vers vous, vous avez répondu par une offense qui durera toujours. Je suis donc en droit maintenant de me protéger contre vous par un mur, d'amasser ces trente mille roubles et de partir achever mon existence quelque part en Crimée, sur la côte du Midi, dans les montagnes, au milieu des vignes, dans ma propriété, acquise avec ces trente mille roubles, et surtout loin de vous tous, mais sans haine contre vous, conservant un idéal dans mon âme, avec une femme aimée contre mon cœur, avec une famille, si Dieu me l'accorde, et en venant en aide aux paysans voisins. »

Evidemment, je peux bien me le dire maintenant, mais qu'aurait-on pu imaginer de plus stupide que de lui dépeindre tout cela, à elle ? De là mon silence orgueilleux ; et voilà pourquoi nous restions à nous taire. Qu'aurait-elle compris, d'ailleurs ? Seize ans, la première jeunesse !... Qu'aurait-elle pu comprendre à mes justifications, à mes souffrances ? Un caractère droit, une ignorance totale de la vie, des convictions puériles sans nulle valeur, l'aveuglement des « belles âmes » et par-dessus tout, cette caisse de prêts. C'était suffisant ! (Me conduisais-je en bandit à ma caisse, ne voyait-elle pas que je n'écorchais personne ?).

Oh ! quelle chose terrible sur terre que la vérité ! Cet être exquis, cette douce, cet ange, — c'était un tyran, un intolérable tyran, le tourmenteur de mon âme. Je me calomnie si je ne le dis pas. Vous vous imaginez que je ne l'aimais pas ? Qui ose dire que je ne l'aimais pas ? Voyez-vous, il y eut là une ironie, une cruelle ironie du sort et de la nature. Nous sommes maudits, la vie des hommes est maudite en général (et la mienne en particulier). Je comprends bien à présent que je me suis trompé sur un certain point. Quelque chose a cloché là. Tout était clair, mon plan était clair comme le jour : « Rigoureux et fier, il n'a nul besoin de consolations morales de qui que ce soit et souffre en silence. » C'était bien cela, je ne mentais pas, je ne mentais pas. « Elle verra bien elle-même plus tard que c'était de la générosité, et qu'elle n'avait pas su la distinguer ; mais lorsqu'elle l'aura devinée, un jour ou l'autre, elle m'appréciera dix fois davantage et se prosternera dans la poussière, les mains jointes, — devant moi. » Voilà quel était le plan. Mais ici j'oubliai et perdis de vue quelque chose. Il y eut ici quelque chose que je ratai. Mais suffit, suffit ! Et à qui donc demanderais-je pardon maintenant ? Ce qui est fini est fini. Plus d'audace, homme ! de l'orgueil ! Ce n'est pas toi le coupable !...

Eh bien, oui ! je dirai la vérité, je n'ai pas peur de me trouver face à face avec la vérité. C'est *elle*, la coupable, c'est *elle* !...

V

La douce se révolte

Les premières disputes vinrent de ce qu'elle se mit en tête de payer à son idée, d'estimer les objets au-dessus de leur valeur, daignant même une ou deux fois entrer en discussion avec moi à ce propos. Je ne consentis pas... C'est alors que survint cette veuve.

Une vieille, la veuve d'un capitaine, vint engager un médaillon, cadeau de son défunt mari, un « souvenir », quoi !... Je lui donnai trente roubles. Elle se mit à geindre, demandant qu'on conservât soigneusement l'objet. « On le conservera, bien entendu. » Bref cinq jours plus tard, voilà qu'elle veut reprendre l'objet, offrant en échange un bracelet qui ne valait même pas huit roubles. Je refusai naturellement. Il est probable qu'elle se douta alors de quelque chose d'après le regard de ma femme ; quoi qu'il en soit, elle revint en mon absence, et celle-ci échangea le médaillon contre le bracelet.

L'ayant appris ce même jour, je lui parlai gentiment, mais fermement, faisant appel à sa raison. Elle était assise sur le lit, les yeux à terre, frappant légèrement le tapis du bout de son pied droit (c'est son geste).

Un mauvais sourire pinçait ses lèvres. Alors, sans éle-
ver la voix, je lui déclarai calmement que l'argent était
à *moi*, que j'avais le droit de considérer la vie à ma
façon, et que, lorsque je lui avais offert de venir chez
moi, je ne lui avais rien caché.

Elle bondit et, tremblant de tous ses membres, se
mit — le croirez-vous ? — à trépigner de rage. Une
bête fauve ! c'était une crise de folie, une bête furieuse.
J'étais pétrifié de stupeur. Je ne m'étais jamais attendu
à pareille explosion. Mais je ne perdis pas la tête, je
ne fis même pas un mouvement, et, toujours du
même ton calme, je lui déclarai qu'à partir de ce jour
elle ne prendrait plus part à mes occupations. Elle
m'éclata de rire au nez et sortit de la maison.

Or elle n'avait pas le droit de sortir sans moi ; tel-
les avaient été nos conventions dès avant nos fiançailles. Vers le soir, elle rentra. Je ne dis mot.

Le lendemain, elle sortit de nouveau dès le matin.
Le surlendemain aussi. Je fermai le bureau et m'en
fus chez les tantes. Depuis le jour de notre mariage,
j'avais rompu toutes relations avec elles : aucun
échange de visites. Il se trouva qu'elle n'était pas venue
chez ses tantes. Celles-ci m'écoutèrent avec curiosité,
puis me rirent au nez : « Vous n'avez que ce que vous
méritez ! » Mais je m'attendais à leur rire et, sur-le-
champ même, je soudoyai la seconde, la vieille fille,
en lui promettant cent roubles et lui donnai vingt-
cinq roubles d'avance. Deux jours plus tard, elle vint
me trouver : « Un officier est mêlé à l'affaire, le lieu-
tenant Efimovitch, votre ancien camarade de régiment. » Je fus très surpris. Cet Efimovitch m'avait
fait plus de mal encore que les autres au régiment ;
eh bien ! malgré cela, avec son impudence coutumière,
il était venu par deux fois dans mon bureau le mois

dernier sous prétexte d'engager quelque objet, et je me souviens qu'il avait commencé à plaisanter avec ma femme. Je m'étais alors approché de lui et lui signifiai, vu nos anciens rapports, de n'avoir plus à mettre les pieds chez moi. Je n'avais pas songé à mal à ce moment, et je me dis tout simplement qu'il était un insolent. Et voilà maintenant la tante qui m'annonce qu'ils se sont déjà donné rendez-vous et que toute l'affaire est manigancée par une ancienne amie des tantes, Julia Samsonovna, une veuve, et d'un colonel encore ! « C'est chez elle que votre épouse fréquente maintenant. »

J'abrège cet épisode. Toute cette affaire me coûta trois cents roubles environ ; mais deux jours plus tard, les choses étaient arrangées de façon que je pusse assister au premier rendez-vous de ma femme avec Efimovitch, dans la chambre à côté, derrière les portes entre-bâillées, et tout entendre. La veille, j'eus avec elle une scène fort courte, mais par trop significative pour moi. Elle rentre vers le soir, s'assied sur le lit ; puis la voilà qui me regarde d'un air railleur en battant le tapis du bout de son pied. Alors, tout en la regardant, il me vint soudain à l'esprit qu'au cours de ce dernier mois, ou plutôt de ces dernières semaines, elle n'était plus elle-même : un être violent, agressif, je ne dirai pas impudent, mais désordonné, aspirant au trouble, le provoquant. Sa douceur, cependant, la gênait. Quand une femme pareille s'insurge, elle a beau dépasser toute limite, on voit bien qu'elle fait violence à sa nature, qu'elle s'excite elle-même, mais qu'elle est incapable de surmonter sa modestie et sa pudeur. C'est pour cela justement que ces femmes arrivent à dépasser à tel point la mesure, qu'on a peine à en croire ses yeux. Au contraire une âme qui s'adonne à la débauche, adoucira toujours les angles, et, agissant plus bassement, le fait sous des dehors corrects, en respectant la bienséance, ce qui lui donne des airs de supériorité sur vous.

— Est-il vrai qu'on vous a chassé du régiment parce que vous avez eu peur de vous battre en duel ? demanda-t-elle, se décidant brusquement ; et ses yeux étincelaient.

— C'est vrai ; les officiers réunis en conseil de discipline m'invitèrent à quitter le régiment, bien que j'eusse déjà pris les devants en donnant ma démission.

— Chassé comme un lâche, alors ?

— Oui, ils me condamnèrent comme un lâche. Cependant si je refusai de me battre, ce fut non point par couardise, mais parce que je ne voulais pas me soumettre à leur sentence tyrannique et exiger satisfaction, du moment où moi-même je ne m'estimais guère offensé. Sachez bien, fis-je, incapable de me contenir, que se révolter contre une telle tyrannie et en accepter toutes les conséquences, exigeait bien plus de courage que n'importe quel duel.

Je n'avais pu me contenir, et, en prononçant cette phrase, j'avais eu l'air de me lancer dans des justifications. Or, elle ne demandait que cela, afin de pouvoir m'humilier encore davantage. Elle eut un rire méchant.

— Est-il vrai aussi que, plus tard, vous avez traîné pendant trois ans par les rues de Pétersbourg, mendiant quelques sous, couchant sous les billards ?

— J'ai couché aussi à l'asile de nuit Viasemsky, Place au Foin... Oui, c'est vrai. J'ai connu après le régiment bien des hontes et des chutes, mais non point des chutes morales, car je fus toujours le premier à haïr mes actes, même alors. Ce n'était qu'une déchéance de ma

volonté, de mon intelligence, provoquée par le désespoir de ma situation. Mais tout cela est passé...

— Oh ! maintenant vous êtes un personnage, un
financier...

Allusion à ma caisse de prêts sur gages. Mais j'étais
déjà parvenu à me dominer. Je voyais qu'elle dési-
rait passionnément des explications humiliantes pour
moi, et je ne lui en donnai aucune. Fort à propos,
un client sonna, et j'allai le recevoir dans le bureau.
Une heure plus tard, déjà habillée pour sortir, elle
s'arrêta devant moi et me lança :

— Vous ne m'avez cependant rien dit de tout cela
avant notre mariage.

Je ne répondis rien, et elle sortit.

Or donc, le lendemain, je me trouvais dans cette
chambre à écouter derrière la porte ; mon sort allait
se décider ; j'avais un revolver dans la poche. Elle était
vêtue avec une certaine recherche et se tenait assise
près de la table, tandis qu'Efimovitch faisait des grâ-
ces devant elle. Et alors il advint (et ceci est tout à
mon honneur) point pour point ce que j'avais pressenti et prévu, sans toutefois me rendre compte de
l'avoir pressenti et prévu. Je ne sais si je m'explique
clairement.

Voici donc ce qui arriva. J'écoutai durant une heure,
et une heure durant j'assistai au duel de la femme la
plus noble, la plus élevée, avec un être plat, vaniteux,
débauché, à l'âme rampante. « Mais où donc, me
disais-je, stupéfait, où donc cette créature naïve, douce,
silencieuse, a-t-elle appris toutes ces choses-là ? » Le
plus spirituel auteur de comédies mondaines n'aurait
pu imaginer une scène de moqueries et de gaieté can-
dide où apparût davantage le mépris sacré de la vertu
pour le vice. Et quel éclat dans ses paroles et jusque

dans ses moindres reparties ! quelle finesse dans ses vives répliques ! quelle vérité dans ses jugements ! Et en même temps, quelle candeur quasi virginale ! Elle riait à sa barbe de ses déclarations d'amour, de ses attitudes, de ses offres. Venu avec l'intention d'aller brutalement au but et ne prévoyant pas de résistance, il tomba de son haut.

Au début, j'aurais pu m'imaginer que ce n'était que coquetterie de sa part, « la coquetterie d'une femme vicieuse mais fine qui veut se faire apprécier davantage ». Mais non, la vérité resplendissait comme le soleil, et nul doute n'était possible. Uniquement par haine de moi, haine artificielle et rageuse, elle avait pu, dans son inexpérience, accepter ce rendez-vous ; mais en face de la réalité, elle avait aussitôt vu clair. La malheureuse s'acharnait simplement à me blesser par tous les moyens ; mais, bien que fermement résolue à descendre si bas, elle n'avait pu supporter cette ignominie. Et d'ailleurs, un Efimovitch ou n'importe quel autre galant de son espèce aurait-il pu la séduire, elle si pure, si innocente et éprise d'idéal ? Bien au contraire, il ne suscita que son rire. La vérité monta du fond de son âme, et son indignation s'épancha en sarcasmes. Je le répète, ce pitre, à la fin, en demeura stupide ; il était là, la mine renfrognée, ne répondant qu'à peine, si bien que je commençai à craindre qu'il ne se permît quelque outrage par basse vengeance. Et je le répète encore une fois : je suivis cette scène presque sans étonnement, et cela me fait honneur. On eût dit que je la connaissais déjà, que j'étais venu tout exprès pour assister précisément à cela. J'étais venu sans ajouter foi à l'accusation, bien que j'eusse un revolver dans ma poche, — voilà la vérité. Aurais-je pu m'imaginer, d'ailleurs, qu'elle fût autre ? Pourquoi l'aurais-je aimée alors ? pourquoi l'aurais-je appréciée et épousée ? Oh ! certes, je n'étais que trop convaincu maintenant de sa haine contre moi, mais je l'étais aussi de sa pureté.

Je mis brusquement fin à la scène en ouvrant la porte. Efimovitch se leva d'un bond ; elle, je la pris par la main et l'invitai à me suivre. Efimovitch se remit et éclata soudain d'un rire bruyant.

— Oh ! je n'ai certes rien à dire contre les droits sacrés de l'époux ! Emmenez-la ! emmenez-la ! Et vous savez, me cria-t-il, bien qu'un honnête homme ne puisse décemment se battre en duel avec vous, par respect pour madame, je me tiens à votre disposition... si toutefois vous vous décidez vous-même à risquer...

— Vous entendez ? dis-je à ma femme, en la retenant un instant sur le seuil de la porte.

Ensuite, durant tout le trajet jusqu'à la maison, plus un mot. Je la tenais par la main, et elle ne résistait pas. Au contraire, elle était profondément frappée, mais cela ne dura que jusqu'à la maison. Quand nous y arrivâmes, elle s'assit sur une chaise et me regarda fixement. Elle était extrêmement pâle. Bien que ses lèvres eussent repris leur sourire railleur, elle me regardait maintenant avec une expression de défi, sévère et solennelle, et il semble bien qu'elle fut durant quelques minutes tout à fait convaincue que j'allais la tuer d'un coup de revolver. Mais, sans dire un mot, je sortis le revolver de ma poche et le déposai sur la table. Son regard allait du revolver à moi. (Remarquez-le : cette arme lui était déjà connue. Je l'avais achetée et chargée dès l'ouverture de ma caisse de prêts. En m'installant j'avais résolu de me passer de chien de garde et de domestique athlétique comme en a, par exemple, Moser. Chez moi, c'est la cuisinière qui ouvre la porte aux clients ; mais, dans notre métier, il faut avoir à tout hasard un moyen de défense quelconque ; je m'étais donc muni d'un revolver chargé. Les premiers jours de son installation chez moi, elle s'intéressait beaucoup au revolver, elle me questionnait, et je lui en expliquai le mécanisme et le maniement ; de plus, je l'avais entraînée un jour à tirer à la cible. Tout cela est à remarquer.) — Sans faire attention à son regard effrayé, je m'étendis à moitié déshabillé sur le lit. Je me sentais épuisé. Il était déjà près de onze heures. Elle resta assise à la même place, sans bouger, durant une heure presque ; ensuite elle éteignit la bougie et s'étendit, tout habillée elle aussi, sur le divan, contre le mur. Ce fut la première fois qu'elle ne se coucha pas près de moi. Cela aussi est à retenir.

VI

Souvenir affreux

Et maintenant, cet affreux souvenir...

Je m'éveillai le matin vers huit heures, je pense : il faisait déjà presque grand jour dans la chambre. Je me réveillai d'un coup, en pleine conscience et ouvris brusquement les yeux. Elle se tenait debout près de la table, le revolver à la main. Elle n'avait pas vu que je m'étais réveillé et la regardais. Et soudain je la vois qui s'approche de moi avec le revolver. Je fermai aussitôt les yeux et fis semblant de dormir.

Elle arriva près du lit, et s'arrêta au-dessus de moi. J'entendais tout ; bien qu'il régnât un silence de mort, j'entendais ce silence. Je cédai alors à un mouvement convulsif, et soudain, malgré moi, j'ouvris les yeux. Elle me regardait droit dans les yeux, et le revolver était déjà près de ma tempe. Nos regards se rencontrèrent. Mais cela ne dura pas plus d'un instant. Je refermai les yeux brusquement, et au même moment je résolus avec toute la force de mon âme, de ne plus faire un mouvement, de ne plus ouvrir les yeux, quoi qu'il pût m'advenir.

Il arrive, en effet, qu'un homme profondément

endormi ouvre soudain les yeux, soulève même un instant la tête, regarde autour de soi, puis, une seconde après, laisse retomber sa tête sur l'oreiller et se rendort, ne se souvenant de rien. Quand, ayant rencontré son regard et senti sur ma tempe le canon du revolver, je refermai vivement les yeux et restai immobile comme quelqu'un qui dort profondément, elle pouvait parfaitement se figurer que je dormais effectivement et n'avais rien remarqué, d'autant plus qu'il eût été par trop invraisemblable qu'ayant vu ce que j'avais vu, j'eusse refermé les yeux en un *pareil* moment.

Oui, invraisemblable. Cependant elle pouvait aussi deviner la vérité, et ce fut précisément cette idée qui illumina soudain mon esprit à ce même moment. Oh ! le tourbillon de pensées et de sensations qui traversa mon cerveau en moins d'une seconde ! Gloire à l'électricité de la pensée humaine ! En ce cas (tel fut mon sentiment), si elle a deviné la vérité et sait que je ne dors pas, je triomphe d'elle en acceptant la mort, et sa main tremblera peut-être. Il est possible que sa décision se brise contre cette nouvelle impression extraordinaire. On dit que ceux qui se trouvent sur une hauteur se sentent comme attirés en bas vers l'abîme. Je pense que nombre de suicides et de meurtres ont eu lieu uniquement parce qu'on tenait déjà le revolver à la main. Il y a là aussi un abîme, une pente de quarante-cinq degrés sur laquelle on ne peut se retenir de glisser, et quelque chose vous pousse irrésistiblement à presser la gâchette. Mais le sentiment que j'avais tout vu, que je savais tout et que j'attendais d'elle la mort en silence, pouvait la retenir sur cette pente.

Le silence durait toujours, quand soudain je sentis tout contre ma tempe, près des cheveux, le froid de

l'acier. Vous me demanderez : Aviez-vous le ferme
espoir d'en réchapper ? Je vous répondrai comme à
Dieu même : Je n'avais aucun espoir ; à peine une
chance sur cent ! Pourquoi donc acceptais-je la mort ?
Et moi, je vous demande : Que m'était la vie après
ce revolver levé sur moi par un être adoré ? De plus,
je savais jusqu'au plus profond de moi-même qu'une
lutte terrible se livrait entre nous en cet instant, un
duel à mort, le duel de ce même lâche chassé du régiment pour poltronnerie. Je le savais, et elle le savait
aussi, si toutefois elle avait deviné que je ne dormais
pas.

Peut-être n'y eut-il rien de tout cela, peut-être ne
pensai-je même pas à cela ; mais que j'en eusse eu conscience ou non, il dut en être ainsi, car je n'ai fait qu'y
penser depuis, à toute heure de ma vie.

Mais vous me poserez encore une question : Pourquoi ne l'avoir pas empêchée de commettre ce crime ?
Oh ! je me suis moi-même posé mille fois cette question plus tard, chaque fois qu'avec un froid dans le
dos j'évoquais cette minute. Mais mon âme était alors
plongée dans un morne désespoir : je sombrais, je
sombrais moi-même ; qui donc pouvais-je sauver ? Et
qu'en savez-vous ? tenais-je encore à sauver quelqu'un
en ce moment-là ? Comment savoir ce que je ressen-
tais alors ?

Ma conscience cependant était tendue à l'extrême :
les secondes s'écoulaient dans un silence de mort. Elle
était toujours penchée sur moi... Et soudain je fré-
mis d'espoir. J'ouvris vivement les yeux. Elle n'était
déjà plus dans la chambre. Je me levai du lit. J'avais
triomphé, et elle était vaincue à jamais...

Nous déjeunions toujours dans la première chambre ; je m'y rendis ; c'était elle qui versait le thé. Je

m'assis en silence et pris le verre de thé qu'elle me tendait. Au bout de cinq minutes, je levai les yeux sur elle. Elle était terriblement pâle, encore plus pâle que la veille, et me regardait. Et tout à coup, tout à coup, voyant que je la regardais, elle sourit à peine de ses lèvres pâles, avec dans les yeux une interrogation craintive.

C'est donc qu'elle doute encore et se demande : « Sait-il ou ne sait-il pas, a-t-il vu ou non ? » Je détournai les yeux, l'air indifférent. Après le thé, je fermai le bureau, j'allai au marché et achetai un lit de fer et un paravent. De retour à la maison, je fis placer le lit dans la grande salle, devant le lit je mis le paravent. Le lit était pour elle, mais je ne lui en soufflai mot. Elle comprit du reste, rien qu'à la présence de ce lit, que « j'avais tout vu, que je savais tout », et qu'elle ne pouvait plus en douter.

La nuit venue, je laissai comme toujours le revolver sur la table. Elle se coucha silencieusement dans son nouveau lit : notre union était dissoute. « Vaincue, mais non pardonnée. » La nuit, elle eut le délire et dans la matinée la fièvre chaude se déclara. Elle resta couchée six semaines.

VII

Rêve d'orgueil

Loukéria vient de me déclarer qu'elle ne resterait pas à mon service et partirait immédiatement après l'enterrement de madame. Je priai à genoux pendant cinq minutes ; j'aurais voulu prier une heure, mais je ne fais que penser, penser sans arrêt ; rien que des pensées maladives, et la tête me fait mal. A quoi bon prier en ce cas ? Ce serait un vrai péché ! Il est étrange aussi que je n'aie nulle envie de dormir : lorsqu'on éprouve un grand, un trop grand chagrin, après les premières et les plus violentes crises, on a toujours envie de dormir. Les condamnés à mort, dit-on, dorment très profondément la dernière nuit. Et cela doit être ainsi : la nature l'exige, car autrement les forces humaines n'y résisteraient pas... Je m'étendis sur le divan, mais ne pus dormir...

Durant les six semaines de sa maladie, nous la soignâmes jour et nuit, moi, Loukéria et une infirmière diplômée que j'avais fait venir de l'hôpital. Je ne regardais pas à l'argent, et j'éprouvais même du plaisir à en dépenser pour elle. Je fis appeler le Docteur Schrœder et lui payai dix roubles la visite. Lorsqu'elle revint à elle, je me gardai de paraître trop souvent à ses yeux.

Du reste, pourquoi est-ce que je raconte tout cela ? Quand elle put se lever, elle vint s'asseoir silencieusement dans ma chambre, à une table que j'avais achetée pour elle, pendant sa maladie... Oui, c'est vrai, nous nous taisions tout le temps ; c'est-à-dire que, plus tard, nous nous mîmes à causer, mais rien que de choses courantes. Naturellement, j'évitais exprès de m'étendre, mais je vis très bien qu'elle semblait heureuse, elle aussi, de ne pas dire un mot de trop. Cela me parut tout à fait naturel de sa part : « Elle se sent trop ébranlée, trop humiliée, me disais-je, et il faut lui donner le temps d'oublier et de s'accoutumer. » Aussi nous gardions tous deux le silence ; mais je ne cessais de me préparer intérieurement à l'avenir. Je croyais qu'elle faisait de même, et je trouvais un intérêt passionnant à deviner : « A quoi au juste pense-t-elle maintenant ? »

J'ajouterai encore ceci : oh ! nul, certes, ne sait ce que j'endurai à souffrir pendant sa maladie. Mais je cachais ma souffrance et je refoulais mes gémissements dans ma poitrine, même devant Loukéria. Je ne pouvais imaginer, je ne pouvais admettre qu'elle pût mourir sans avoir tout appris. Mais lorsqu'elle fut hors de danger et que sa santé se fut rétablie, je me tranquillisai très vite, et complètement, je m'en souviens bien. Il y a plus même : je résolus de *remettre notre avenir* à plus tard, au plus tard possible, et de tout laisser, en attendant, dans l'état actuel. Oui, il se passa alors en moi quelque chose d'étrange, de singulier, je ne saurais m'exprimer autrement : j'avais triomphé, et il se trouva que la seule conscience de ce triomphe me suffisait complètement. Ainsi s'écoula tout l'hiver. Oh ! j'étais content comme jamais je ne le fus, et cela dura tout cet hiver.

Voyez-vous, il y avait eu dans ma vie un événement extérieur effroyable qui, jusqu'ici, c'est-à-dire jusqu'à la catastrophe, avait toujours pesé sur moi, chaque jour, chaque heure : j'entends, la perte de ma réputation, et mon départ du régiment. En deux mots, une injustice tyrannique avait été commise à mon égard. Mes camarades, il est vrai, ne m'aimaient guère à cause de mon caractère difficile et, peut-être aussi, ridicule, bien que souvent il arrive que ce qui vous paraît sublime, précieux et digne de vénération provoque on ne sait pourquoi les railleries de la part de vos camarades. Oh ! on ne m'a jamais aimé, pas même à l'école. Jamais nulle part on ne m'a aimé. Loukéria non plus, ne peut m'aimer. L'histoire qui m'arriva au régiment a été la conséquence de l'antipathie que j'inspirai, mais elle fut aussi sans doute le fait du hasard. Je dis cela parce qu'il n'y a rien de plus vexant, de plus intolérable, que de périr par le fait d'un hasard qui aurait pu tout aussi bien ne pas se produire, par un fâcheux concours de circonstances qui auraient pu passer comme un nuage. Pour un être cultivé, c'est humiliant ! Voici ce qui arriva.

Au théâtre, pendant un entracte, j'étais allé au buffet. Soudain entre A..., un officier de hussards, qui se met à raconter à deux de ses camarades, devant d'autres officiers et le public se trouvant là, qu'un capitaine de notre régiment, Besoumtzeff, avait fait du scandale dans les couloirs et semblait ivre. La conversation n'alla pas plus loin ; d'ailleurs, il y avait erreur : le capitaine Besoumtzeff n'était pas ivre et le scandale n'était pas à proprement parler un scandale. Les hussards se mirent à parler d'autre chose. L'affaire en resta là. Mais le lendemain elle parvint jusqu'à notre régiment, et l'on dit aussitôt que j'étais le seul officier du régiment qui se trouvât au buffet, et que, lorsque le hussard A... avait tenu des propos insolents sur le capitaine Besoumtzeff, je n'étais pas intervenu pour le faire taire. Et pourquoi l'aurais-je fait ? S'il avait une dent contre Besoumtzeff, c'était leur affaire personnelle, et qu'avais-je à m'en mêler ? Cependant les officiers de notre régiment estimèrent que l'affaire n'était pas personnelle, mais concernait tout le régiment ; et, vu que j'en étais le seul officier qui fût alors présent au buffet, j'avais prouvé par mon attitude, au public et aux officiers qui s'y trouvaient, qu'il pouvait y avoir dans notre régiment des officiers peu chatouilleux en ce qui concerne leur honneur et celui de leur arme. Je ne pus accepter ce point de vue. On me fit savoir que je pouvais cependant encore tout réparer, si je voulais m'expliquer officiellement avec A..., bien que ce fût un peu tard ; je refusai, et comme j'étais très irrité, je refusai orgueilleusement. Aussitôt après, je remis ma démission. Voilà toute l'histoire.

Je partis fier, mais l'âme brisée. Ma volonté, mon intelligence s'effondrèrent. Il se trouva au même moment que le mari de ma sœur à Moscou avait dilapidé notre modeste fortune, y compris ma part, une toute petite part ; j'étais donc sur le pavé, sans un sou.

J'aurai pu prendre un emploi dans quelque administration privée, mais je ne le fis pas : après avoir porté un brillant uniforme, il m'était insupportable d'entrer, par exemple, dans les chemins de fer. Ainsi donc, va pour la honte, va pour l'infamie, va pour la misère ! et plus ça ira mal, mieux ça vaudra !

Ici, trois années de lugubres souvenirs, et même l'asile de nuit. Mais, il y a un an et demi, une vieille dame très riche, ma marraine, mourut à Moscou, et entre autres legs me laissa, contre toute attente, trois mille roubles. Après réflexion, je fixai donc ma destinée. Je résolus d'ouvrir une caisse de prêts sans plus m'inquiéter de personne : de l'argent, un petit coin bien à moi, et une nouvelle vie, loin des anciens souvenirs, tel était mon plan. Cependant, mon passé sinistre et mon honneur à jamais taché me tourmentaient chaque heure, chaque minute. C'est alors que je me mariai. Etait-ce un hasard ? je l'ignore. En l'introduisant dans ma maison, je pensais y introduire un ami : un ami m'était tellement indispensable ! Mais je voyais clairement maintenant que cet ami, il me fallait le former, le parfaire, le vaincre même. Et pouvais-je expliquer tout cela d'un coup à une fillette de seize ans, pleine de préventions ? Par exemple, sans l'aide fortuite que m'apporta cette affreuse histoire de revolver, comment aurais-je pu la convaincre que je n'étais pas un lâche et que j'avais été injustement jugé comme tel au régiment ? Mais l'histoire du revolver était survenue à temps. Ayant supporté l'épreuve du revolver, je m'étais vengé de mon noir passé. Et si personne n'en a jamais rien su, *elle* le savait, et cela seul comptait pour moi, car elle était tout pour moi, tout mon espoir dans mes rêves d'avenir. Elle était le seul être que j'eusse formé et je n'avais besoin de personne d'autre.

Et voici que maintenant, elle avait tout appris ; elle savait que sa hâte à se joindre à mes ennemis était injuste. Cette pensée m'enchantait. Je ne pouvais plus être un lâche à ses yeux, mais tout au plus un homme étrange. Et cette pensée-là aussi, après tout ce qui s'était passé, n'était pas pour me déplaire : l'étrangeté n'est pas vice ; au contraire, parfois elle attire les femmes. Bref, je reculais exprès le dénouement : ce qui s'était passé dernièrement suffisait amplement à me tranquilliser et à alimenter d'images mes rêveries. Je suis rêveur, voilà ce qui est malheureux ! J'avais de quoi rêver, et pour ce qui était d'elle, je me disais : *elle attendra.*

Ainsi, s'écoula tout l'hiver dans l'attente de quelque chose. J'aimais à la regarder à la dérobée, cependant qu'elle était assise devant sa table. Elle travaillait, raccommodait du linge ; le soir, elle lisait parfois des livres qu'elle prenait dans mon armoire, ce qui témoignait aussi, semblait-il, en ma faveur. Elle ne sortait presque jamais seule. Après le dîner, au crépuscule, je l'emmenais promener, et nous faisions un peu d'exercice sans observer le même silence absolu qu'auparavant. Je m'efforçais de créer l'impression que nous ne nous taisions pas et que nous nous entendions bien ; mais, ainsi que je l'ai déjà dit, nous restions tout de même assez laconiques. Je le faisais à dessein ; je me disais qu'il fallait lui donner le temps. Certes, il est étrange que jusqu'à la fin de l'hiver il ne me vint pas une fois à l'esprit, que tandis que je trouvais du plaisir à la considérer à la dérobée, jamais, de tout l'hiver, je ne surpris son regard sur moi. Je m'imaginais que c'était timidité de sa part. D'ailleurs, elle paraissait si douce, si timide, elle était si faible depuis sa maladie ! « Non, mieux vaut attendre encore, et elle viendra soudain à toi d'elle-même... »

Cette pensée me ravissait infiniment. J'ajouterai encore ceci : il m'arrivait parfois de me monter exprès la tête contre elle, de m'échauffer à tel point, que j'arrivais à lui en vouloir réellement. Cet état durait un certain temps. Mais la haine ne parvenait jamais à mûrir et à prendre racine dans mon âme. Et, du reste, je me rendais compte moi-même que ce n'était en somme qu'une sorte de jeu de ma part. Et même lorsque, ayant acheté ce lit et ce paravent, j'eus rompu de cette manière notre union, jamais, au grand jamais je ne parvins à la considérer comme une criminelle ! Ce n'est pas que j'eusse traité sa faute avec légèreté, mais j'avais l'idée de lui pardonner entièrement, et cela dès le premier jour, avant même l'achat du lit. Bref c'était bien étrange de ma part, car je suis très rigoureux en ce qui concerne la morale. Elle était à mes yeux si totalement vaincue, si humiliée, si écrasée, que j'en avais parfois douloureusement pitié ; cependant, malgré tout, je trouvais par moment une véritable satisfaction à l'idée de son abaissement. L'idée de notre inégalité me plaisait...

Il m'arriva, cet hiver, d'accomplir à dessein quelques bonnes actions. J'annulai deux créances et donnai de l'argent à une pauvre femme, sans aucune garantie. Je n'en dis rien à ma femme, et je ne l'avais nullement fait pour qu'elle l'apprît. Mais la malheureuse vint elle-même me remercier, presque à genoux. Ainsi la chose s'ébruita. Il me sembla que ma femme l'apprit avec un réel plaisir.

Le printemps arriva cependant ; nous étions déjà à la moitié d'avril ; on enleva les doubles fenêtres et le soleil illumina de ses gerbes éclatantes nos chambres silencieuses.

Mais un voile recouvrait mes yeux et aveuglait mon esprit. Voile fatal, terrible ! Comment se fit-il qu'il tomba soudain et que brusquement je vis clair et compris tout ? Etait-ce un hasard ? Etait-ce le jour désigné par le sort ? ou bien un rayon du soleil avait-il allumé dans mon esprit alourdi une pensée, une vision ?... Non, ce n'était ni une pensée, ni une vision ; mais je ne sais quelle corde qui allait se bri-

ser, se mit soudain à résonner en moi ; mon âme accablée s'illumina, et je vis mon orgueil démoniaque. Ce
fut alors comme un brusque sursaut de tout mon être.
Cela m'arriva tout à coup, brusquement. Cela arriva
vers le soir, vers les cinq heures de l'après-midi...

VIII

Le voile tombe soudain

Deux mots tout d'abord. Depuis un mois déjà, j'avais remarqué chez elle une étrange rêverie ; ce n'était plus du silence, c'était de la rêverie. Cela aussi, je l'avais remarqué tout à coup. Elle travaillait, la tête penchée sur sa couture et ne voyait pas que je la regardais. Et soudain je fus frappé de la voir si frêle, si amaigrie ; son petit visage était tout pâle, ses lèvres décolorées... Tout cela, de même que son air rêveur me frappa soudain à l'extrême. Je lui avais déjà auparavant entendu une petite toux sèche, surtout la nuit. Je me levai sur-le-champ et, sans rien lui dire, j'allai faire quérir Schrœder.

Schrœder vint le lendemain. Elle en fut très étonnée, et nous regardait tour à tour, Schrœder et moi.

— Je suis bien portante, dit-elle avec un vague sourire.

Schrœder ne l'examina pas d'une façon très détaillée (ces médecins ont parfois une façon de vous traiter de haut !) et se contenta de me dire, dans la chambre à côté, que c'était la suite de sa maladie et qu'il serait bon pour elle de passer le printemps quelque part au bord de la mer, ou, si c'était impossible, de partir pour la campagne. En somme, il ne dit rien de très particulier, sauf que c'était de la faiblesse ou quelque chose de ce genre. Quand Schrœder sortit, elle me répéta encore une fois, en me regardant d'un air extrêmement sérieux :

— Je me sens tout à fait, tout à fait bien.

Mais, ayant dit cela, elle rougit subitement. Sans doute de honte. C'était manifestement de la honte. Oh ! maintenant je comprends : elle avait honte de ce que j'étais encore son mari et que je prenais encore soin d'elle comme un vrai mari. Mais sur le moment je ne compris pas : j'attribuai cette rougeur à l'humilité (le voile !).

Or, un mois plus tard, vers cinq heures, par une belle journée ensoleillée d'avril, j'étais assis à ma caisse et faisais mes comptes. Tout à coup je l'entends qui, dans la chambre voisine où elle travaillait, se met à chanter... doucement, très doucement. Cela me produisit une impression bouleversante que, jusqu'à ce jour, je n'ai pas encore comprise. Je ne l'avais presque jamais encore entendue chanter, sauf peut-être les tout premiers jours quand je venais de l'introduire dans ma maison et qu'elle était encore capable de s'amuser au tir à la cible. Sa voix était alors assez forte, éclatante, et, bien que pas très juste, extraordinairement agréable et saine. Sa petite chanson à présent était si dolente, si faible ! Non pas qu'elle fût triste (c'était je ne sais quelle romance), mais il y avait, semblait-il, dans sa voix quelque chose de brisé, de fêlé, comme si cette voix ne parvenait pas à éclore, comme si la chanson était malade. Elle chantait à mi-voix, et soudain la voix, en s'élevant, se cassa ; elle se cassa si tristement, cette pauvre voix grêle ! Elle toussota et se remit à chantonner, doucement, doucement...

On se moquera de mon émotion ; mais jamais personne ne comprendra pourquoi je fus bouleversé. Non, je n'avais pas encore pitié d'elle ; c'était tout autre chose. D'abord, tout au moins les premiers instants, ce fut une perplexité, un immense étonnement ; immense et étrange, maladif et presque vindicatif : « Elle chante ! et devant moi ! *Aurait-elle donc oublié mon existence ?* »

Je restai là, complètement désorienté ; et puis, subitement, je me levai, je pris mon chapeau et je sortis, le cerveau comme vide, sans savoir tout au moins où j'allais et pourquoi. Loukéria me tendit mon pardessus.

— Elle chante ?... dis-je involontairement à Loukéria. Elle ne me comprit pas et me regarda, étonnée. Au reste, on n'aurait pu me comprendre.

— Est-ce la première fois qu'elle chante ?

— Non, cela lui arrive parfois, quand vous n'êtes pas là, répondit Loukéria.

Je me souviens de tout. Je descendis l'escalier, sortis dans la rue et allai à l'aventure. Je marchai jusqu'à l'angle et regardai dans le vague. Les gens passaient et me bousculaient ; je ne le sentais pas. J'appelai un fiacre pour me faire conduire au pont des Policiers, je ne sais pourquoi, d'ailleurs. Mais je me ravisai et donnai au cocher vingt kopecks :

— C'est pour t'avoir dérangé inutilement, lui dis-je en riant bêtement ; mais je ne sais quel enthousiasme envahissait mon cœur.

Je retournai à la maison, pressant le pas. La pauvre petite voix fêlée résonna de nouveau dans mon cœur. J'en avais le souffle coupé. Le voile se déchirait devant mes yeux ! Si elle a chanté en ma présence, c'est donc qu'elle avait oublié que j'existais. Voilà ce qui m'était clair et ce qui m'épouvantait. Mon cœur le sentait bien. Mais l'enthousiasme illuminait mon âme et triomphait de l'effroi.

O ironie du sort ! Il n'y avait rien eu, il ne pouvait y avoir rien d'autre en mon âme, tout l'hiver, que cet enthousiasme ; mais où donc étais-je moi-même tout cet hiver ? Avais-je été auprès de mon âme ?

Je montai l'escalier en toute hâte ; j'entrai peut-être timidement, je n'en sais rien. Je me rappelle seulement que le plancher oscillait sous mes pas, et il me semblait que j'étais porté par des vagues. J'entrai dans la chambre : elle était toujours à la même place et cousait, la tête penchée, mais ne chantait plus. Elle me jeta un regard rapide, dénué de toute curiosité ; ce n'était même pas un regard, mais cette sorte de geste habituel et indifférent qu'on a lorsque n'importe qui entre dans la pièce.

J'allai droit vers elle et m'assis tout près, sur une chaise, comme fou. Elle leva brusquement les yeux d'un air effrayé. Je pris sa main, je ne me rappelle plus ce que je lui dis, ou plutôt ce que je voulus lui dire, car je n'arrivais même pas à parler distinctement. Ma voix se brisait et ne m'obéissait pas. Du reste, je ne savais même pas que dire, j'étouffais.

— Parlons un peu... écoute... dis quelque chose ! » balbutiai-je, enfin je ne sais quelle stupidité. Oh ! il ne s'agissait pas de raisonner en cet instant. Elle tressaillit et se rejeta en arrière en me regardant avec effroi ; mais soudain un *étonnement sévère* se peignit dans ses yeux. Oui, c'était de l'étonnement, et un étonnement *sévère*. Elle me considérait avec de grands yeux. Cette sévérité, ce sévère étonnement m'écrasèrent du coup : « Ainsi donc, il te faudrait encore de l'amour, de l'amour ? » semblait vouloir dire cet étonnement, bien qu'elle continuât à se taire. Mais je lus tout dans ses yeux, tout. Ce fut un brusque effondrement en moi, et je tombai à ses pieds. Oui, je m'écroulai à ses pieds. Elle se leva d'un bond, mais je la retins avec force par les mains.

Oh ! je comprenais parfaitement mon désespoir, oui, je le comprenais. Mais le croirez-vous ? l'enthousiasme bouillonnait dans mon cœur avec une force si irrésistible que je crus en mourir. Je baisais ses pieds, ivre de bonheur, oui, de bonheur, d'un bonheur débordant, infini, et cela tout en me rendant compte de mon désespoir sans issue ! Je pleurais, j'essayais de parler mais sans y parvenir. L'étonnement, l'effroi firent soudain place en elle à une sorte de préoccupation, à une expression interrogative : elle me regardait étrangement, farouchement même ; elle faisait effort pour comprendre au plus vite, et tout à coup elle sourit. Elle avait affreusement honte de me voir baiser ses pieds, elle les retirait, mais aussitôt je baisais sur le plancher l'endroit où s'était posé son pied. Elle vit cela et soudain se mit à rire de honte. (Vous connaissez ça !) C'était une crise de nerfs, je le vis aussitôt, ses mains tremblaient ; mais je n'y faisais pas attention et continuais de balbutier que je l'aimais, que je ne me lèverais pas : « Laisse-moi baiser le bas de ta robe... et t'adorer ainsi toute ma vie !... » Je ne sais plus, je ne me rappelle plus. Mais subitement elle éclata en sanglots et se mit à trembler de tout son corps : elle eut une terrible attaque de nerfs. Je lui avais fait peur.

Je la portai sur le lit. Quand la crise fut passée, assise sur le lit, l'air profondément accablée, elle me saisit les mains, me conjurant de me calmer. « Assez, ne vous tourmentez pas, calmez-vous !... » Et elle se remettait à pleurer. Je ne la quittai pas de toute la soirée. Je lui disais que je la conduirais à Boulogne pour prendre des bains de mer, maintenant, tout de suite, dans quinze jours ; qu'elle avait une petite voix fêlée, — je l'avais bien entendu tout à l'heure,—que je fermerais mon bureau, que je le vendrais à Dobron-ravov, qu'une vie nouvelle commencerait pour nous ; mais avant tout, à Boulogne, à Boulogne ! Elle écou-tait, toujours effrayée. De plus en plus effrayée même. Mais l'essentiel pour moi, ce n'était pas cela, c'était le désir croissant, irrésistible qui de nouveau me repre-nait de me prosterner à ses pieds, de baiser encore et encore le sol où elle posait ses pieds, de l'adorer et, rien d'autre.— « Je ne te demande rien de plus », répétais-je à chaque instant.— « Ne me réponds pas, ne fais aucune attention à moi, permets-moi seule-ment de te regarder de mon coin, fais de moi ta chose, ton chien... » Elle pleurait.

— *Et moi qui pensais que vous me laisseriez ainsi !* laissa-t-elle échapper involontairement, si involontai-rement qu'elle ne se rendit peut-être pas compte d'avoir prononcé ces mots. Et cependant ce fut pour moi la parole la plus importante, la plus fatale, la plus claire de celles dites ce soir-là, et je reçus à l'entendre comme un coup de couteau au cœur. Elle m'expli-qua tout, tout ; mais, tant que j'étais près d'elle et que je l'avais devant mes yeux, je ne pouvais m'empêcher d'espérer et j'étais immensément heureux. Oh ! je la fatiguai à la briser, ce soir-là, et je le comprenais bien ; mais je ne cessais de me répéter que j'allais immédia-tement tout arranger. Enfin, quand vint la nuit, elle était à bout de forces ; je la persuadai de dormir, et elle s'endormit aussitôt d'un sommeil profond. Je m'attendais à du délire ; elle en eut en effet, mais il fut très léger. Je me levais la nuit à tout instant, je m'approchais en pantoufles, sans bruit, pour la regarder. Je me tordais les mains en contemplant ce pauvre être malade sur sa misérable couchette, sur ce petit lit de fer que j'avais acheté pour trois roubles. Je m'agenouillais devant elle, mais n'osais baiser ses pieds (pensez donc, sans sa permission !). J'essayais de prier Dieu, puis je me relevais brusquement.

Loukéria m'observait et entrait constamment dans la chambre. Je lui dis d'aller se coucher, et que demain commencerait « une toute autre vie ».

Et j'y croyais aveuglément, follement ! La joie inondait mon âme. Je n'attendais que le lendemain. Et surtout, je ne croyais pas au malheur en dépit de tous les indices. La raison ne m'était pas encore revenue, bien que le voile fût tombé ; et elle ne revint pas de longtemps, jusqu'à aujourd'hui même. Et comment d'ailleurs aurait-elle pu me revenir alors ?

N'était-elle pas encore en vie ? n'était-elle pas là, devant moi, et moi devant elle ? « Elle se réveillera demain, et je lui dirai tout cela, et elle comprendra tout. » Voilà comme je raisonnais alors ; c'était clair et simple ; et de là mon enthousiasme... L'essentiel était ce voyage à Boulogne. Je m'imaginais, je ne sais pourquoi, que Boulogne c'était tout, que la solution définitive consistait dans ce voyage à Boulogne. « A Boulogne, à Boulogne!... » J'attendais le matin en proie à une sorte de folie.

IX

Je comprends trop bien

Et dire que cela se passait il y a seulement quelques jours, cinq jours, il n'y a que cinq jours, mardi dernier ! Oui, oui, encore un petit délai, si elle avait attendu ne fût-ce qu'une toute petite minute, j'aurais dissipé les ténèbres. Ne s'était-elle pas calmée d'ailleurs ? Dès le lendemain elle m'écoutait avec un sourire, bien que troublée encore..L'important est que tout ce temps-là, durant ces cinq jours, elle ne cessa d'être troublée ou honteuse. Elle avait peur aussi, très peur. Je n'en discuterai pas, je ne le contesterai pas, ce serait folie : oui, c'était de la crainte, mais comment n'aurait-elle pas eu peur ? Nous étions déjà depuis si longtemps étrangers l'un à l'autre, nous nous trouvions si loin l'un de l'autre, et soudain, toute cette histoire... Mais je ne faisais pas attention à sa crainte : une lumière nouvelle resplendissait !... Il est vrai, il est incontestable que je commis une faute. Et même beaucoup de fautes, peut-être. Le lendemain (c'était mercredi), à peine étions-nous réveillés, que je commis déjà une faute : n'ai-je pas fait d'elle mon ami ? J'allais trop vite , beaucoup trop vite ; mais j'avais besoin de me confesser, cela m'était indispensable. Ce fut d'ailleurs bien plus qu'une confession. Je ne lui cachai même pas ce que je ne m'étais jamais avoué à moi-même. Je lui déclarai franchement que je n'avais jamais cessé, durant tout l'hiver, de croire à son amour. Je lui expliquai que cette caisse de prêts sur gages n'était qu'une faillite de ma volonté et de mon intelligence, que mon but avait été tout à la fois de m'humilier et de m'enorgueillir à mes propres yeux. Je lui dis que lors de cette histoire au buffet du théâtre, j'avais en effet eu peur, que la faute en était à mon caractère, à ma timidité : j'avais été impressionné par l'entourage, le public ; je me demandais comment intervenir sans paraître ridicule, que ce n'est pas le duel qui m'effrayait, mais l'idée de paraître ridicule... Que plus tard, je me refusai à en convenir et je tourmentai tout le monde, et elle aussi je la tourmentai à cause de cela ; que je ne l'avais épousée en somme que pour la tourmenter. D'une façon générale, je parlais presque tout ce temps-là comme en proie au délire. Elle me prenait les mains et me demandait de cesser : « Vous exagérez...vous vous torturez. » Et de nouveau c'étaient des pleurs, presque des crises. Elle me priait sans cesse de ne plus parler de ces choses-là, de ne plus m'en souvenir.

Je ne tenais guère compte, ou fort peu, de ses supplications : le printemps, Boulogne ! Là-bas le soleil brille, notre nouveau soleil ! Je revenais toujours à cela.

Je fermais mon bureau et je cédais l'affaire à Dobronravov. Je lui proposais de distribuer tout l'argent aux pauvres, à part ces premiers trois mille roubles que j'avais reçus de ma marraine, avec quoi nous partirions pour Boulogne. De retour en Russie, nous recommencerions une nouvelle vie de travail... Ainsi fut-il décidé, car elle ne dit rien... elle sourit seulement. Plutôt par délicatesse, semble-t-il, pour ne pas me faire de la peine. Je voyais bien que je lui pesais ; ne croyez pas que je fusse bête et égoïste au point de ne pas m'en apercevoir. Je voyais tout, jusqu'au moindre petit trait ; je voyais et je savais tout mieux que personne. Mon désespoir était là, bien en vue !

Je ne faisais que lui parler d'elle et de moi. Et aussi de Loukéria. Je lui dis que j'avais pleuré... Oh ! certes, il m'arrivait parfois de changer de conversation, et je prenais bien garde aussi de rappeler certains souvenirs... Et même, une fois ou deux, elle se ranima ; de cela je me souviens bien, fort bien ! Pourquoi dites-vous que je regardais et ne voyais rien ? Et si seulement *cela* n'était pas arrivé, c'aurait été une résurrection totale !... Ne m'a-t-elle pas raconté, pas plus tard qu'avant-hier, quand nous nous mîmes à parler lecture et de ce qu'elle avait lu en hiver, — ne m'a-t-elle pas raconté en riant la scène de Gil Blas et de l'archevêque de Grenade ? Et avec quel rire enfantin, charmant, tout pareil à celui du temps de nos fiançailles (oh ! cet instant ! cet instant !). Comme je fus heureux ! Une chose toutefois me surprit terriblement dans cette histoire de l'archevêque : fallait-il qu'elle se sentît assez calme d'esprit et suffisamment heureuse, l'hiver dernier, pour rire en lisant ce chef-d'œuvre ! Elle commençait donc à se calmer complètement et à croire pour de bon que je la laisserais *comme ça*. — « Je croyais que vous me laisseriez *comme ça* », voilà ce qu'elle avait dit mardi. O pensée d'une fillette de dix ans ! Elle croyait vraiment, elle croyait pour de bon que les choses en resteraient

là : elle à sa table, moi à la mienne, et que nous reste-
rions ainsi jusqu'à soixante ans. Et voilà que je
m'approche d'elle, moi le mari, et le mari a besoin
d'amour. Quel malentendu, quel aveuglement !

Ce fut aussi une faute de ma part de la contempler
avec ravissement : il eût fallu se contenir, car ce ravissement lui faisait peur. Je me contenais tout de même,
je n'embrassais plus ses pieds. Pas une fois je ne mon-
trai que j'étais... que j'étais le mari. Oh ! je ne pensais à rien de tel, j'adorais seulement. Impossible
cependant de se taire toujours, impossible de ne pas
parler du tout !... Je lui déclarai tout à coup que
j'éprouvais le plus grand plaisir à sa conversation, et
que je la considérais infiniment plus instruite et plus
cultivée que moi. Elle rougit, et me dit toute con-
fuse que j'exagérais. C'est alors qu'incapable de me
contenir, je commis la maladresse de lui parler de mon
ravissement quand, debout derrière la porte, j'assistai au duel de son innocence avec ce misérable, et la
joie que m'avaient donnée son intelligence et l'éclat
de son esprit alliés à une simplicité enfantine. Elle
eut comme un brusque sursaut, et murmura de nouveau que j'exagérais ; mais soudain son visage s'assom-
brit, elle le couvrit de ses mains et éclata en sanglots...
Alors, je fus incapable de me retenir, je tombai de
nouveau à genoux devant elle, j'embrassai ses pieds
et cela finit encore une fois par une crise, tout comme
mardi. Cela se passait hier soir ; et au matin...

Au matin ? Insensé ! Ce matin-là, c'était aujour-
d'hui, tout à l'heure, tout à l'heure seulement !

Écoutez et comprenez bien : lorsque nous nous
sommes retrouvés ce matin devant le samovar (après
la crise d'hier), elle me frappa vraiment par son
calme ; voilà ce qu'il faut savoir. Et moi qui avais

tremblé de peur toute la nuit après la scène de la veille ! Mais soudain elle s'approche de moi, et debout, les mains jointes (ce matin même, ce matin même !), se met à me dire qu'elle est une criminelle, qu'elle le sait, que son crime la tourmenta tout l'hiver, et la tourmente encore maintenant... qu'elle apprécie ma grandeur d'âme... « Je serai pour vous une femme fidèle, je vous respecterai...» Alors, je me précipitai vers elle, je la serrai dans mes bras comme un fou. Je l'embrassais, je l'embrassais sur le visage, sur les lèvres, comme un mari, pour la première fois après une longue séparation.

Mais pourquoi suis-je sorti ? Rien que pour deux heures... nos passeports pour l'étranger... O mon Dieu ! si j'étais rentré ne fût-ce que cinq minutes plus tôt, cinq minutes seulement... Et là cette foule à notre porte, ces regards qu'on me lance... ô Seigneur !

Loukéria dit (je ne lâcherai Loukéria pour rien au monde maintenant, elle sait tout, elle fut là pendant l'hiver, elle me racontera tout), elle dit qu'après que je fus sorti et vingt minutes tout au plus avant mon retour, elle entra subitement dans notre chambre pour demander je ne sais plus quoi à sa maîtresse, et vit que l'icône (cette même icône de la Vierge qu'elle était venue autrefois engager) était décrochée du mur et posée sur la table comme si madame venait de prier devant elle. « Qu'y a-t-il, Madame ? — Rien, Loukéria, va-t'en. » Puis : « Attends un peu, Loukéria. » Elle vint près de la servante et l'embrassa. « Êtes-vous heureuse, Madame ? — Oui, Loukéria. — Il y a longtemps que Monsieur aurait dû venir vous demander pardon... Grâce à Dieu, vous voilà réconciliés. — C'est bien, Loukéria, va-t'en. » Et elle sourit d'une certaine façon, d'une façon étrange. Si étrange même, que Loukéria, dix minutes après, rentra soudain dans la chambre pour voir ce que faisait madame : « Elle se tenait contre le mur tout près de la fenêtre, sa tête reposait sur son bras appuyé contre le mur. Elle songeait ainsi debout. Et si profonde était sa songerie, qu'elle ne remarqua même pas que j'étais là à la regarder de l'autre chambre. Je vois qu'elle sourit ; debout contre le mur, elle songe et sourit. Je la regardai, puis me retournai sans bruit et sortis en pensant à elle. Mais voilà que j'entends soudain qu'on ouvre la fenêtre. Je rentrai aussitôt pour dire : « Il fait frais, Madame, vous pourriez prendre froid ! » Et je la vois tout à coup qui est montée déjà sur le rebord de la fenêtre ; elle est debout, toute droite dans l'espace de la fenêtre ouverte, me tournant le dos, et tenant l'icône dans ses mains. Du coup le cœur me manque, et je crie : « Madame, Madame ! » Elle entendit, parut vouloir se retourner vers moi, mais au lieu de ça fit un pas en avant, tenant l'icône serrée contre sa poitrine, et se précipita dans le vide. »

Je me souviens seulement que, lorsque j'entrai dans la cour, elle était encore tiède. Et surtout eux qui me regardent tous ! Avant ils criaient, mais alors ils se turent brusquement et s'écartèrent tous devant moi, et... et la voici étendue avec l'icône. Je me souviens comme à travers un voile que je m'approchai sans un mot et que je la considérai longuement. Ils m'entourent tous et me disent je ne sais quoi. Loukéria était là aussi, mais je ne la voyais pas. Elle me dit plus tard qu'elle m'avait parlé. Je me souviens seulement de ce petit bourgeois ; il ne cessait de me crier : « Il est sorti du sang de la bouche de quoi remplir la main, plein la main, plein la main ! » et il m'indiquait du sang sur le pavé. Je crois bien que je touchai le sang du doigt et que mon doigt en fut taché. J'étais là à contempler ce doigt (cela je me le rappelle bien), et l'autre ne cesse de me répéter : « plein, plein la main... ». — « Mais que signifie donc ce « plein la main ? » hurlai-je, dit-on, de toutes mes forces. Je levai les bras et me précipitai sur lui...

Oh ! atroce ! atroce ! C'est un malentendu, une invraisemblance, une impossibilité !

X

Cinq minutes de retard seulement

N'est-ce pas invraisemblable ? Peut-on dire même que ce soit possible ? Pourquoi, à cause de quoi, cette femme est-elle morte ?

Oh ! croyez-le bien, je comprends ; mais pourquoi est-elle morte ? — la question tout de même est là. Elle eut peur de mon amour, elle se demanda sérieusement : « Faut-il accepter ou ne pas accepter ? » Elle ne put supporter cette question et préféra mourir. Je sais, je sais, nul besoin de se casser la tête : elle avait fait trop de promesses, elle eut peur de ne pouvoir les tenir, — c'est clair. Il y a là certaines circonstances véritablement effroyables...

Car, pourquoi est-elle morte ? La question est toujours là. La question me vrille... Elle me vrille le cerveau. Je l'aurais bien laissée *comme ça*, si seulement elle avait voulu que tout restât *comme ça*. Elle ne le crut pas, voilà la chose. Non, non, je mens, ce n'est pas ça du tout ! Avec moi il eût fallu agir honnêtement, m'aimer entièrement, et non pas comme elle aurait aimé le boutiquier. Et comme elle était trop chaste, trop pure pour consentir à cet amour dont se fût contenté le boutiquier, elle ne voulut pas me tromper. Elle ne voulut pas me tromper en m'offrant la moitié ou le quart de son amour. Trop honnête, voilà ce qu'il y a ! Et cette générosité que je voulais lui greffer, vous en souvenez-vous ? Etrange idée !

M'estimait-elle ? Cela m'intéresse prodigieusement. Je ne sais pas si elle me méprisait ou non... Je ne crois pas qu'elle me méprisât. C'est extrêmement étrange : pourquoi ne me vint-il jamais à l'esprit pendant tout cet hiver, qu'elle pût me mépriser ? J'étais au plus haut degré persuadé du contraire, jusqu'à la minute même où elle me considéra avec un *sévère étonnement*. Oui, *sévère*. C'est alors que je compris brusquement qu'elle me méprisait. Je le compris irrémédiablement, à jamais. Ah ! j'aurais consenti à ce qu'elle me méprisât toute la vie pourvu qu'elle vécût. Tout à l'heure encore, elle allait et venait, elle parlait... Je ne comprends pas du tout comment elle s'est jetée par la fenêtre. Et comment aurais-je pu le prévoir, ne fût-ce que cinq minutes avant ? Je viens d'appeler Loukéria. Je ne lâcherai pour rien au monde Loukéria maintenant, pour rien au monde !

Oh ! nous aurions encore pu nous entendre. Au cours de l'hiver, nous nous étions complètement déshabitués l'un de l'autre, ce n'est que ça ; mais n'aurions-nous pas pu nous rapprocher de nouveau ? Pourquoi, pourquoi nous aurait-il été impossible de nous remettre d'accord et de recommencer une nouvelle vie ? Je suis généreux, elle aussi ; voilà notre point de contact ! Encore quelques mots, encore deux jours, pas davantage, et elle eût tout compris.

Et ce qui est surtout vexant, c'est que tout cela n'est qu'un hasard, un hasard fort simple, brutal, stupide. Voilà ce qui me blesse. Cinq minutes seulement, je n'ai tardé que de cinq minutes. Si j'étais arrivé cinq minutes plus tôt, cet instant passait comme un nuage, et jamais plus ensuite elle n'y eût songé. Et elle aurait fini par tout comprendre. Maintenant, les chambres sont de nouveau vides, de nouveau je suis seul. Le balancier est là à battre les secondes, que lui importe à lui ? il ne regrette rien... Plus personne, voilà le malheur !

Je vais, je viens sans m'arrêter. Je le sais, je le sais bien, ne me le soufflez pas : il vous paraît ridicule que j'accuse le hasard, les cinq minutes ? Mais c'est l'évidence même. Réfléchissez-y bien : elle n'a même pas laissé un mot pour dire, ainsi que tous le font : « N'accusez personne de ma mort. » N'aurait-elle pas pu se dire qu'on pourrait inquiéter même Loukéria : « Tu étais seule avec elle, tu l'as donc peut-être poussée » ? On eût été capable de causer des ennuis à une femme innocente, si quatre personnes ne l'avaient vue de leurs fenêtres et de la cour debout dans l'embrasure, l'icône entre les mains, puis se jetant d'elle-même en bas. Mais cela aussi est un hasard qu'il y eut là des gens et qu'ils l'aient vue. Non, tout ça ne fut que l'affaire d'un instant, d'un instant d'inconscience ! Une idée subite, un caprice ! Que prouve la prière devant l'icône ? Cela ne signifie pas qu'elle allait se tuer. Tout cela ne dura peut-être qu'une dizaine de minutes tout au plus ; tout cela, elle le décida quand elle se tenait debout près du mur, la tête appuyée contre son bras, et qu'elle souriait. Cette idée l'envahit brusquement, tourbillonna dans son cerveau et... et elle ne put y résister.

Il y a là un malentendu évident, vous avez beau dire. Avec moi, il est possible de vivre. Et si c'était de l'anémie ? tout simplement de l'anémie, un épuisement de l'énergie vitale ? Cet hiver la fatigua, voilà...

Trop tard !!!

Comme elle est frêle dans son cercueil !... Comme son petit nez s'est aminci ! Ses cils, on dirait de fines flèches. Et comme elle est tombée ! elle ne s'est pas écrasée, elle ne s'est rien brisé. Rien qu'un peu de sang, « à se remplir la main » : c'est-à-dire une cuiller à dessert. Ébranlement interne. — Une idée bizarre : si on pouvait ne pas l'enterrer ? Car si on l'emporte, alors... Oh non ! l'emporter, c'est presque impossible. Je sais bien, certes, qu'on devra l'emporter, je ne suis pas fou, je n'ai pas le délire ; au contraire, jamais mon esprit ne fut aussi lucide. Mais se pourrait-il qu'il n'y ait de nouveau plus personne dans la maison, de nouveau ces deux pièces, et me revoici seul de nouveau avec ces objets mis en gage ? Délire, délire, le voilà le délire ! Je l'ai torturée, voilà la vérité !

Que m'importent maintenant vos lois ? Que me sont vos coutumes, vos mœurs, votre vie, votre État, votre foi ? Qu'il me juge donc, votre tribunal, qu'on m'amène devant votre tribunal, devant votre tribunal public, et je dirai que je ne reconnais rien, ni personne. Le juge me criera : « Silence, officier ! » Et moi je crierai : « Où prendrais-tu maintenant la force pour me faire obéir ? Pourquoi un hasard morne et brutal a-t-il brisé ce qui était plus précieux que tout ? Que me font maintenant vos lois ? Je m'isole. » — Oh ! tout m'est indifférent.

Aveugle, aveugle ! Morte, tu n'entends pas. Tu ne sais pas dans quel paradis je t'aurais installée. Le paradis fleurissant de mon âme, je l'aurais planté autour de toi. Tu ne m'aurais pas aimé ! eh bien ! qu'est-ce que cela fait ? Tout serait resté *comme ça*, tout serait donc resté *comme ça*. Tu m'aurais seulement tout raconté, comme à un ami, et nous aurions été heureux, nous aurions ri tout joyeux, les yeux dans les yeux. Ainsi aurions-nous vécu notre vie. Et si même tu en avais aimé un autre, eh bien, soit ! Tu serais allée avec lui en riant, et moi je t'aurais contemplée de l'autre côté de la rue... Oh ! j'accepterais tout, tout, si seulement elle pouvait rouvrir les yeux, ne fût-ce qu'une fois ! Pour un instant, rien que pour un instant ! Elle m'aurait regardé comment tantôt, lorsqu'elle se tenait devant moi et me jurait qu'elle serait une épouse fidèle. Oh ! elle eût tout compris, d'un seul regard.

O nature inerte et morte ! Les hommes sont seuls sur terre, voilà le malheur ! — « Y a-t-il un homme vivant dans la plaine ? » clame le preux de la légende russe. J'appelle aussi, moi qui ne suis pas un preux, et personne ne me répond. On dit que le soleil donne la vie à l'univers. Le soleil se lève, et voyez, n'est-il pas mort ?... Tout est mort, partout des morts. Rien que des hommes, et autour d'eux c'est le silence, — la voilà la terre. « Hommes, aimez-vous les uns les autres. » Qui a dit cela ? Quel est ce précepte ?

Le balancier bat, insensible, détestable. Deux heures du matin. Ses petites bottines sont près du lit ; on dirait qu'elles l'attendent...

Non mais, sérieusement, quand demain on l'emportera, que deviendrai-je ?

En 1869, Dostoïevski note dans ses carnets le plan du récit d'une mésentente conjugale : « Type souterrain, n'a pu supporter la jalousie. Il est veuf, sa première femme est morte. Il a trouvé et choisi une orpheline spécialement, pour être plus tranquille. C'est un véritable homme du sous-sol, il en a reçu des gifles dans sa vie. Aigri. Vanité sans bornes (…) sa femme ne peut pas ne pas remarquer qu'il est cultivé puis elle voit plus tard qu'il ne l'est pas beaucoup ; chaque raillerie (il croit qu'on raille toujours) l'agace ; ombrageux. Quand il s'est aperçu qu'elle ne pensait pas à rire, il a été terriblement heureux (…) un moment même un véritable amour s'est amorcé entre sa femme et lui. Mais il lui a déchiré le cœur. »

Dans ce projet, en partie développé l'année suivante dans *L'Éternel mari*, l'homme égorgeait sa femme : « Après la Bible, il lui trancha le cou. »

D'autre part, hanté par le problème du suicide, Dostoïevski fut très impressionné par un fait divers d'octobre 1876 qu'il commenta immédiatement dans un article de son *Journal d'un écrivain* : une jeune couturière, Marie Borissova seule à Pétersbourg, désespérée d'être sans travail, s'était jetée par la fenêtre en serrant sur son cœur une icône de la Vierge que lui avaient donnée ses parents. C'est sur ce double thème qu'il conçut le récit *Une Femme douce* publié dans le fascicule de novembre 1876 du *Journal d'un écrivain*.

Le texte a bénéficié de nombreuses traductions françaises : soit en publication séparée, soit en volume regroupant plusieurs écrits de Dostoïevski, soit dans les éditions successives du *Journal d'un écrivain*. (La dernière en date étant celle de Gustave Aucouturier, Gallimard, Bibliothèque de la Pléiade, 1972). Le titre variant d'une édition à l'autre : *Une douce créature* (1877) ; *Elle était douce et humble* (1927) ; *Une Femme douce* (1927) ; *La Douce* (1929, 1947, 1958, 1966, 1992) ; *Douce* (1972).

PETITE BIBLIOTHÈQUE OMBRES

Cet ouvrage a été achevé d'imprimer
en mars 1993
dans les ateliers de

N° d'éditeur : 74
Dépôt légal : avril 1993